문득, 순간적으로 알아차리기

늦깎이 상담사의 성장 처방전

묵산김태형

문득, 순간적으로 알아차리기

발 행 | 2023년 12월 1일
저 자 | 묵산김태형
펴낸이 | 한건희
펴낸곳 | 주식회사 부크크
출판사등록 | 2014.07.15.(제2014-16호)
주 소 | 서울특별시 금천구 가산디지털1로 119 SK트윈타워 A동 305호
전 화 | 1670-8316
이메일 | info@bookk.co.kr

ISBN | 979-11-410-5588-2

www.bookk.co.kr

문득, 순간적으로 알아차리기

묵산김태형 지음

CONTENT

3.아빠 상담사는 오늘도 육아살림 중

4.삶을 대하는 태도

미술심리상담사로 활동하고 있는 나는 무엇에 의미를 느끼는가? 상담 받으러 온 사람들이 어떻게든 어려움을 극복하고 성장하는 모습을 보면서 나 역시 위로 받고 함께 성장한다는 것을 이해했다. 다양한 사람들과 소통하면서 서로 위로와 성장할 수 있는 방법을 모색하며 성장을 이야기 하는 미술심리에세이 작가가 되고자 노력 중이다.

1.숙명으로 내게 온 직업 '미술심리상담사'

1.숙명으로 내게 온 직업 '미술심리상담사'

1-1.두려움이 많은 내가 미술심리상담사 되었다.

내가 제일 싫어하는 것 중에 하나는 깜깜한 길을 걷는 동안 등골이 오싹한 느낌이다. 온몸이 쪼그라들고 등 뒤에 뭐가 있는 것 같은 두려움과 자꾸 뒤돌아보고 싶지만 그럴 용기가 나지 않는 이러지도 못하고 저러지도 못하는 갈등이 동시에 들어서 그런 공간과 상황을 너무 싫어한다.

겁 많은 내가 심리상담사로 시작하게 된 것은 분명 24년 전 동생의 사건으로부터 시작됐다. 동생의 시신(屍身)을 화장하고 한 뼘 크기 상자에 담아 한국으로 온 뒤 장례를 치렀다. 세상 가장 가까운 하나밖에 없는 형제를 보낸다는 것이 어떤 의미인지 그땐 잘 몰랐다. 찾고 기다리고 급하게 장례식을 치러야 하는 정신없던 시간들이 지나고 몇 개월 뒤에 오히려 문제가 생겼다. 설명하기 어려운 혼란의 상태가 되면서 이별이 어떤 의미인지 온몸으로 알게 되었다. 예를 들면 오전 내내 기분 좋게 운전하며 경치 좋은 강변을 지나는데 내 마음과는 상관없이 갑자기 눈물이 줄줄이 흘러내렸다. 또 노래를 따라 부르고 흥얼거리며 라디오를 듣다가 뜬금없이 왈칵 눈물이 터져버렸다. 강의를 하면서도 '동생'이란 단어를 듣거나 입 밖으로 꺼내는 순간 내가 나를 주체할 수 없었다.

준비할 새 없이 갑자기 찾아온 이별은 마음에 큰 상처를 남겼다. 제일 괴로운 건 동생을 떠올릴 때마다 어릴 때 못해줬던 일들만 생각난다는 점이다. 엄마 몰래 괴롭혔던 장면, 시기와 질투했던 장면들, 비겁하고 못나게 굴었던 장면들이 떠올라 죄책감이 들었고 동시에 다시는 사과할 기회가 없음에 한 번 더 괴로움 속에

꽁꽁 갇혀야 했다. 마음 저 깊은 곳에서 정체모를 무언가 올라오는 것이 분명하다.

시간이 지날수록 불쑥 불쑥 감정이 올라오는 증세는 점점 더 심해졌다. 사고 후 첫 번째 동생 기제 지내러 속초에 갔을 때 장례식을 주관하셨던 스님을 만나 이런 고민을 말했다. 스님은 기도를 한번 해보면 어떻겠냐고 권했다. 기도문을 쓰고, 기간을 정하고, 매일 일정한 시간에 108배를 하는 등 어떻게 기도를 하는지 방법을 자세히 알려 주었다. 어머니 따라 일 년에 한 번 정도 절에 다니긴 했어도 무늬만 불교인이었지 삼배하는 것조차 익숙지 않다. 그렇지만 이 순간만큼은 그냥 한번 해보자 하는 마음이 아니라 제발 날뛰는 감정이 평온해졌으면 하는 간절한 마음이 더 컸다.

그렇게 시작된 기도, 그런데 막상 기도를 처음 10일 정도 해보니 뭔가 머릿속이 가벼워진 걸 느꼈다. '아~ 이게 도움이 되는구나!' 그 후로는 30일, 50일, 100일 기도까지 쭉 이어서 하게 되었다. 하다 보니 어느새 10년을 매일 하루도 빠짐없이 기도를 했다. 그렇게 10년이 지나서야 마음이 차분해지고 동생이야기도 어디서나 자연스럽게 할 수 있게 되었다. 기도의 힘이 참 놀라웠다.

 기도하면서 궁금증이 생겼다. '내 안의 변화는 마음의 어떤 작용이 있길래 점점 좋아지는 걸까?' 내 안의 중심이 잡히다보니 내면에 대한 탐구심으로 커졌고 명상, 만다라, 그림과 심리에 대한 공부에 관심을 갖게 되었고 관련된 여러 가지 책을 읽었다. 자연스레 미술심리상담사 자격증도 취득했다. 이렇게 공부를 시작한지 벌써 10년이 넘었고 지금은 미술심리상담사로 활동하고 있다. 의도한 건 아니었지만 두려움이 많았던 내가 지금 미술심리상담사가 되었다.

1-2. 동생이 사라졌다.

여느 때처럼 운영 중인 학원에서 한참 수업 중이었는데 호주에서 전화가 왔다. 동생이 실종됐단다. 날벼락 같은 일이 벌어졌다. 마치 꿈을 꾸고 있는 것 같았다. 호주 현지 신문엔 동생의 사고 소식이 이미 보도됐지만 우리 가족이 소식을 들은 건 며칠이 지난 후였다. 급하게 항공편을 알아보고 티켓팅 했다. 비행기 안에서 10시간 동안 별의별 생각이 다 들었다. 대학 다닐 때까진 영어를 썼어도 간단한 대화하는 정도여서 막상 가서 어떻게 해야 할지 막막했다. 창밖만 보면서 뭘 어떻게 해야 할지 머릿속은 맴맴 돌고 눈의 초점은 흐리멍텅 힘이 없다.

도착한 호주 시드니 공항에서부터 사고 현장인 본다이비치 (Bondai Beach)까지 차로 태워주고 경찰서에서 조사받고 진행과정을 설명 듣는 것까지 동생과 같이 시드니 생활을 하고 있던 여러 친구들이 도와줬다. 동생 친구들과 지인들이 도움과는 별개로 실종된 부근 동네를 구석구석 혼자 찾아다니던 동안 나는 이쪽저쪽으로 걸어만 다녔지 아무것도 할 수 없었다. 이른 아침부터 동생을 찾아 헤매다 보면 어느새 깜깜한 저녁이 되었다. 해변을 따라 대저택들이 있는 동네엔 노크하기가 무서울 만큼 적막했다. 대문에 벨을 누르면 걸어 나오는데만 한참 걸릴 정도로 큰 저택에서 나이 든 호주인이 느린 걸음으로 나온다.

I'm looking for my brother.
He is a 27-year-old Asian.
Have you ever seen him around?
(동생을 찾고 있어요. 27살 된 아시아인이에요. 혹시 근처에서 본적 있을까요?)

어설픈 영어로 드문드문 겨우 물어보지만 돌아오는 대답을 이해하기가 더 어렵다. 몇 집을 돌다가 금방 지쳐버렸다. 내가 얼마나무능하고 별거 아닌 존재인가 하는 것을 뼈저리게 느꼈다. 도대체어디서 어떻게 찾아야 할지? 낯선 땅, 낯선 사람들, 하늘마저 낯

설다. 아무것도 할 수 없는 나는 어린아이 마냥 땅에 그대로 주저
앉아서 한참을 울었다.

1-3.미워도 지금 안아주세요. 후회가 남지 않게

결국 동생은 싸늘한 몸으로 돌아왔다. 찾기 시작한지 10일이 거의 다 되어갈 무렵 경찰조사관으로부터 전화가 왔다. 해변을 산책하던 노부부가 동양인 시신 한 구를 해변 산책로 근처 동굴에서 발견 했단다. 급히 경찰서로 갔다. 손바닥보다 작은 스냅사진 한 장을 보여준다. 이가 다 부러진 하관이 찍힌 사진이었다. 섬뜩했다. 조사관은 치아와 뼈 구조를 조사한 바 20세의 동양인이란다. 그 근처는 인적이 드물고 동양인이 거의 없는 지역이어서 동생일 가능성이 높다고 했다. 바로 옆방에 여기저기 파도에 쓸려 바위에 찢긴 몸체가 있었다.

동생은 친구와 해변 근처 인적이 드문 바위에서 낚시를 하다가 파도에 휩쓸려 친구가 바다에 빠지는 걸 보고 구려고 뛰어들었단다. 친구는 해변으로 밀려나와 살았지만 동생은 바위 쪽으로 휩쓸려 들어가 끝내 사고를 당하고 만 것이다.

　동생의 화장과 간단한 장례식 절차를 마치고 시드니 숙소에 어
학원 친구들, 직장 알바 친구들, 셰어하우스 지인들, 친하게 지내
던 다양한 국적의 친구들까지 많이 모였다. 동생의 옷가지며 소지
품들을 하나씩 나눠가지며 서로 부둥켜안고 울었다. 처음 보는 사
람들이지만 동생과 함께 동고동락 했던 이들이라 동생을 대하듯
이 자연스럽게 서로 다독였다. 한국으로 돌아오는 비행기에서 동
생을 이렇게 안아본 적이 있었던가? 되돌아본다. 한 번도 없었던
것 같다. 가슴이 아팠다. 미웠을지라도 한번 안아줬더라면 이렇게
서운하고 미안하고 후회가 남진 않았을 텐데.

1-4.두근두근 첫 번째 심리상담

 수업준비로 천호동 인쇄소에서 교재제본을 하고 있는데 뒤에서 누군가가 인사를 한다. "저 혹시 미술치료 하시나요? 제가 미술치료를 받고 싶은데요." 내가 들고 있던 책표지에 '미술치료'라고 써진 책을 보고 상담을 요청했다. 연락처를 주고받은 며칠 후 카페에서 만났다. 60대의 말끔한 차림에 어눌하지만 점잖은 말투의 여자분이었다. 상담을 시작하기 전에 상담을 받으려고 하는 이유와 상담 시간, 상담 장소 등 전반적인 상황들을 서로 약속하기 위한 면담시간을 가졌다.

 사실 상담 요청을 받고 고민을 많이 했다. 첫 상담이라 '내가 해도 되나?'부터 시작해서 초보 상담자라서 내담자가 싫어하진 않을까? 하는 그야말로 별의별 생각이 다 들었다. 처음엔 미술치료를 처음 배운 은사 선생님에게 상담을 해주십사 하고 의뢰했다. 그

선생님은 단번에 "해보세요. 충분히 할 수 있어요." 내게 확신을 주셨다. 평소에 그림도 좋아하고 심리에 관심이 많던 날 가까이서 지켜봐 온 아내가 미술치료 공부를 해보라고 권해서 시작했다. 아내 역시 상담의 첫걸음을 이제 막 디디려 하는 순간에 한 번 더 용기를 보탰다. "해봐. 언젠가 시작은 해야 할 것 아냐." 두 사람의 응원에 첫 상담에 도전하기로 했다.

1-5.세상 큰 고통의 위로, 아키코에게 배우다.

  그녀는 일본사람 '아키코'였다. 그녀의 짧은 상담 요청 이유를 듣고 먼저 간 동생이 생각났다. 동생이 살아있어서 누군가에게 도움을 요청한다면, 그 상황이 나에게 온다면 기꺼이 도와주리라. 나는 아키코를 도와주기로 마음먹었다.

'아키코에게 들려준 고통스러운 이야기'

  아키코는 고향에서 이곳으로 건너와 한국인과 결혼했다. 믿고 있는 종교적 신념에 따라 선택한 결혼이었다. 가정을 가장 우선시하는 것도 그 신념에 포함되기에 경제적으로 넉넉하진 않았지만 예쁜 아이 넷이나 있다는 사실만으로도 행복했다. 아키코는 신문 지국을 운영하는 남편을 돕기 위해 새벽마다 신문 배달을 했다. 집을 나가기 전 매일 마다 초를 켜고 행복한 그녀의 가족을 보살펴 달라고 정성을 다해 신께 기도했다.

자전거를 타고 신문을 돌리던 어느 날 한참 페달을 밟다가 웅성 웅성 시끄러운 소리가 났다. 뒤돌아보니 동네에서 연기와 함께 불 길이 쏟아 오르고 있다. 온몸에 식은땀이 흘렀다. 아이들이 잠들 어 있는 바로 그녀의 집이 불타고 있었다. 아키코는 오열했다. 그 녀의 행복은 한순간에 사라져버렸다.

더 괴로운 건 아무에게도 말 못 한 비밀 때문이다. 기도하고 나 서 휴지통에 버린 성냥의 불씨가 되살아나 모든 것을 삼켜버렸던 것이었다. 자신의 실수로 인해 소중한 네 아이를 순식간에 모두 잃어버린 끔찍한 사고였지만 화재의 원인이 사실대로 밝혀지면 아키코는 감옥에 수감되기 때문에 숨겨야만 했다. 모든 것을 잃어 버린 허망함과 유일한 내 편인 남편에게 마저 숨겨야 하는 자신 의 처지, 죄책감, 두려움, 비애 … 무엇으로도 표현하기 어려운 그

녀에겐 이제 절망만 남았다.

그 사고 후 시간이 지날수록 괴로워하던 남편은 점점 폐인이 되어갔고 자상하던 모습은 폭력적으로 변해 매일 아키코를 때렸다. 손으로 때리고 발로 차기도 하고 고무호스로도, 손에 잡히는 건 무엇이든 닥치는 대로 들고 때렸다.

처음엔 '그래 내 잘못으로 일어난 일이니까 맞아도 돼'하고 견뎠지만 날이 갈수록 폭력의 강도가 심해졌고 시간도 가리지 않는 공포와 좌절의 일상이 이어졌다. 아키코는 이곳에서는 더 이상 견딜 수 없게 되었다. 낯선 땅 의지할 곳 없는... 그 누구 하나 그녀의 마음을 충분히 이해해 주는 이 없는 상황이 얼마나 힘들었을까? 결국 아키코는 일본으로 돌아갔다.

수년이 흘렀다. 지금 아키코는 한국의 땅끝 마을 바다 앞에 있다. 지우지 못한 아픔의 시간을 가득 안은 채 밤하늘 달빛 아래 끝없이 펼쳐진 바다를 마주하고 앉아있다.

... 돌을 던져본다. 소리도 지른다. 원망스러운 단어들을 바다에 쏟아낸다. 소중했던 모든 것을 잃어버린 그녀는 밤바다를 향해 하염

없이 눈물을 흘리며 앉아있다. 멍든 가슴을 치며 하늘마저 슬픈 오늘 밤, 풀썩 주저앉아 목 놓아 울부짖고 있다. '왜 이런 시련을 주냐고, 왜 내 전부를 가져가냐고 ...' 그렇게 아픔을 온몸으로 토해낸다.

 바다는 말이 없다. 이 세상을 덮고 있는 검푸른 짙은 어둠 같은 말없는 거대한 바다. 아무 대답 없이 모든 걸 받아 주는 바다. 깊은 밤바다는 고요하다. 시간이 흐른다. 그 바다의 큰 침묵이 아키코의 상처를 보듬어 준다. 너무 큰 상처는 침묵으로부터 오히려 위로를 받는다. 그녀의 마음도 고요해진다.

얼마나 지났을까? 밤 구름에 가려져 있던 달님이 어두웠던 바다 위를 황금빛으로 비추기 시작한다. 지쳐 길바닥에 쓰러져 있는 그녀 머리와 어깨 그리고 그림자에도 잔잔한 빛으로 비추기 시작한다. 달빛이 전한다.

'아무리 슬퍼도, 아무리 아파도 그 상처를 찬찬히 살펴보다보면

결국 계속 되진 않을 거야!'

'애쓰지 않고 자연스레 숨 쉬는 것처럼 그냥 살아내는 것이 유일한 사는 이유야.'

아키코는 일어선다.

10번의 상담 동안 아키코에게 이야기를 들으면서 많은 생각을 했다. 큰 고통을 받은 이에게 어떤 위로를 해주어야 할지 배웠다. 지워버릴 수 없는 지독한 상처를 안은 이에게는 말없는 위로야 말로 가장 큰 위로가 된다는 걸 말이다.

1-6. 그리고 쓰고 치유하며 예술로 성장한다.

글을 쓰다가 갑자기 화장실로 달려가 수건을 가져올 때가 있다. 아무도 없는 거실에서 잔잔한 음악을 들으면서 글을 쓰다 보면 어느 순간 갑작스럽게 눈물이 왈칵 쏟아질 때가 있다. 얼마 전에도 수건으로 얼굴을 감싸고 꺼이꺼이 울었다. 미안함, 후회, 죄책감, 아쉬움, 그리움 등 수 많은 감정들, 그 때의 상황들과 과거의 특별한 추억이 지금 듣는 음악과 쓰고 있는 글과 묘하게 매칭이 되는 순간에 이런 작용이 가끔 일어난다.

다른 사람이 이런 내 모습을 본다고 상상하면 부끄럽고 창피하겠단 생각이 들기도 하지만 한편으로는 글쓰기가 내 안에 뭉쳐있던 감정들을 방출하고 마음을 고요하게 정화하기도 하는구나하는 확신이 든다.

글을 쓸 땐 머릿속에서 하고 싶은 말들을 마구 내뱉고 나서 다시 다듬고 또 다듬는다. 글을 읽는 사람이 더 매끄럽게 읽을 수 있도록 명확하게 메시지가 전달되도록 문장을 바꾸기도 하고 아예 처음부터 다시 작업하기도 한다. 감동과 감성을 위해 많은 요소들을 조율한다. 글을 아주 섬세하게 다듬는 과정들이 신경을 곤두서게 하는 걸 느끼게 되는데 그런 상태로 글을 한참 쓰다보면 극도로 예민해져 있는 나를 발견한다.

그림은 완전 반대다. 그림을 그리는 건 글 쓰는 것과는 비교해보면 예술이라는 공통성 안에 있기도 하지만 분명히 다른 면이 있다. 그리는 내내도 즐겁지만 그리고 나서 마치 핸드폰 베터리가 완충된 것처럼 삶의 의욕과 힘을 느낀다. 뭔가 시원함을 느낄 수 있다. 글쓰기가 뭔가를 예리하게 다듬는 과정이라면 그림그리기는 마음 속에 든 것들을 마음껏 풀어내는 작업 과정이다.

이런 점에서 보면 두 가지 작업을 순차적으로 하는 미술심리상담은 매력적이다. 상담하는 동안 그림을 통해서 내담자에게 마음껏 표현하게 하고 충분한 이야기를 나누어 생각을 정리한 다음 글쓰기를 통해 긍정적이고 합리적인 신념들을 정교하게 다듬는 작업을 할 수 있기 때문이다. 실제 상담하거나 강연을 할 때 내가 직접 그림을 그리고 글을 쓰면서 느꼈던 위로와 감동을 내담자들이 느낄 수 있도록 하는데 초점을 둔다.

동생 사건에 대한 트라우마를 해소하고 극복하기 위해 시작한 글쓰기와 그림 그리기가 이젠 일상이 되었다. 살면서 겪는 결정하기 어려운 순간, 버티기 힘든 일을 겪을 때마다 명확하게 생각정리를 한다거나 나 자신을 더 단단하게 하는데 큰 도움을 준 그림과 글쓰기에 대한 묘미를 이제는 많은 사람들과 나누고 싶다. 상담에서도 예술의 힘을 충분히 활용하고자 한다. 마음을 치유하고 성장하는데 예술은 더없이 좋은 도구이기 때문이다.

2.늦깎이 상담사의 성장 처방전

2.늦깎이 상담사의 성장 처방전

2-1.무기력한 채 감정의 늪에 빠질 땐 이미 나를 위한 뭔가 시작되고 있다는 걸 알자.

상담을 하다보면 가장 많이 호소하는 것 중 하나가 인관관계에 대한 문제이다. 인간관계를 하다보면 믿었던 사람에게 실망한다거나 주위에 나를 알아주는 사람이 하나도 없는 것 같아서 아무것도 하기 싫다는 생각마저 들 때가 있다. 이런 상태가 길어지면 무기력해지고 부정적인 감정의 늪에 빠지게 된다.

　이때마다 이미 나를 위한 무언가 시작되고 있다는 생각을 해보
자.

　며칠 전 좋은 와인을 들고 현정이가 우리 집으로 왔다. 어느 날
중소기업을 운영하는 친구가 믿고 맡길 만한 사회 초년생을 소개
해달라고 요청했고 당연히 현정이를 추천해 줬다. 그의 성실함과
인성을 잘 알기에 망설임은 없었다. 현정이는 그 친구 회사에 입
사했고 얼마 뒤 와인을 들고 집으로 인사차 왔다.

　현정이는 겨울방학 내가 운영하는 학원에 수학 과외 받으러 와
서 처음 알게 된 당시 중2 학생이었다. 첫인상은 까무잡잡한 피부
와 깡마른 체구에 내향적인 성격으로 보였다. 수학수업 외에 같이
운동도 하고 여행도 하면서 꽤 시간이 걸렸지만 친해졌다. 그 후
로는 말도 잘하고 공부도 더 열심히 했다. 고3이 될 때까지 4년
넘게 함께 과외 받던 아이들과 이곳저곳 여행도 참 많이 다녔다.

대학에 진학한 뒤에도 자주 찾아왔고 이성문제, 친구관계, 진로
등 사회생활에서 힘든 점이 있을 때마다 찾아와 의논했다. 대학
졸업 후 성인 된 이후에는 내가 오히려 물어보는 경우도 많아졌
다. 아들 셋 키우면서 부딪히는 갈등이 있으면 아이 입장에선 어
떤 마음이 드는지 자주 물어봤다. 지금은 현정이와 사제지간이 아
니라 인생을 나란히 같이 가고 있는 동지가 된 느낌이다. 서로 뭐
라고 한 가지로 규정짓기 어려운 각별한 사이로 지내고 있다. 서
로 고마움을 주고받는 참 좋은 인연이다.

 현정이를 처음 만났던 때를 돌아보면, 현정이의 친구 우현이가
생각난다. 그 아이가 먼저 학원에서 과외공부를 하고 있었다. 우
현이는 공부에 소홀할 뿐만 아니라 이기적인 아이였다. 무슨 일인
지 한번 마음이 꼬이면 얼마나 나를 괴롭히는지 모른다. 내면이
온통 상처투성이인 것 같았다. 그땐 공부시키려고 얼레고 달래느
라 꽤 애먹었던 기억이 난다. 공부를 그만두네 마네 당시엔 가르
치는 내 입장에서도 포기해야 하나? 싶은 마음이 들었다. 배우는
우현이나 가르치는 내가 서로 익숙해지고 수월해진 건 1년이 지

나서였다. 그즈음 친구 한 명 데리고 와도 되냐고 물어보며 같이 온 것이 바로 현정이었다.

내가 현정이를 알지는 못했을 때 이미 우현이와 현정이는 인간관계를 맺고 있었으니 어떤 관계든 그 시작을 위한 준비 단계가 분명히 존재하는 것이 사실이다. 당장 보이진 않아도 뭔가의 준비가 존재한다는 이 명백한 사실을 이해한다면 지금 맺고 있는 어떤 관계도 할 수 있는 한 최선을 다해야 한다.

또 지금 인간관계를 맺고 있는 사람에 대한 관심과 친절은 다른 좋은 관계의 준비이기도 하다. 좋은 사이인 경우는 당연하고 불편한 사이일지라도 내가 할 수 있는 범위 안에서 관계를 성장시키기 위한 정성을 쏟자. '그 사람은 그렇겠지 뭐'하고 다른 사람의 입장은 별로 중요하게 생각하지 않는다든지 무관심하거나 다른 사람의 곤란함보단 내 입장만 생각한다면 어느 순간 관계로부터 오는 어려움은 내 삶의 문턱에 놓여진다.

내 주변에 관심 두고 살피다 보면 '나만 그런 어려움을 겪는 건 아니구나.' 하는 보편성을 이해하고 마음이 한결 편해진다. 좀 더 나아가 따지지 않는 마음으로 이웃에게 선의를 베푼다면 더 좋다. 어떤 보상이나 인정받지 않더라도 선익의 마음을 쓰는 자체에서 오는 뿌듯함이 있다. 단, 도움을 줄 땐 뭔가 알아주길 바라지 않도록 주의해야 한다. 알아주길 바라는 느낌을 조금이라도 주면 안 한만 못한 상태가 되기 쉽다. 어떤 대가를 바라지 않거나 아무것도 추구하지 않을 때 내가 인지 못하는 사이 인간관계에서 최상의 상태가 분명히 찾아온다.

문득, 순간적으로 알아차리기

#1

사람에게 실망하고
사람이 싫다는 생각이
길어지면

성장처방

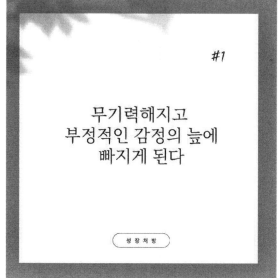

#1

무기력해지고
부정적인 감정의 늪에
빠지게 된다

성장처방

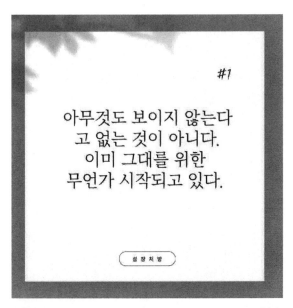

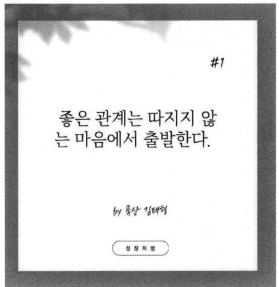

　　문득, 순간적으로 알아차리기

2-2. 낯가림 때문에 시작하기도 전에 걱정부터 하는 내가 나에게

아내는 며칠 전부터 바쁘게 움직였다. 이곳저곳에 이력서를 넣었더니 몇 군데서 면접을 보러 오라는 연락을 받았기 때문이다. 시간이 겹치지 않게 스케줄을 짜고 자기소개서를 다시 검토하면서 공들여 면접을 준비했다.

오늘 아침 11시에 온햇살요양병원에 면접이 잡혔다. 내비게이션에 주소를 입력하고 한참을 운전해 도착했다. 면접 약속시간 20분 전에 도착. 차를 주차하고 운전석에 앉은 채 건물 여기저기를 살펴본다. 이제 시간은 10분 남았다. 점점 더 긴장감이 올라온다. 큰 숨을 들이마시고 물 한 모금 마셔보지만 가슴만 더 콩닥거린다. 이제 면접 5분 전, 차에서 현관으로 들어가 곧장 면접장으로 걸어간다. 처음 본 사람들과 낯선 공간. "이쪽이에요"하는 안내자의 건조한 목소리에 바짝 더 긴장된다. 손엔 땀이 찔끔~

어지럽고 토할 것 같다. 얼른 돌아서서 화장실 쪽으로 달려갔다. 결국 면접을 포기한 나는 돌아서 나와 버렸다.

낯설다는 것은 새로운 것에 대해 경계심을 가지는 마음의 작용이다. 아직은 모르는 것에 대해 적절한 거리를 두는 것도 건강한 태도이지만 그 경계심이 너무 과해서 일상생활이 불편하다든지 해야 할 일을 하는데 지장을 준다면 해결해야 할 항목에 들어간다. 그럴 땐 이렇게 해보자. 낯선 공간, 처음 누군가를 만나는 자리가 불편하고 어색하고 싫은 상황에 대한 나의 느낌을 그림으로 그려보자. 그림을 다 그렸다 싶으면 그에 대해 낙서하듯 글을 써보자. 이런 작업을 반복하다 보면 나의 낯가림의 이유를 알 수 있는 단서가 나온다. CCTV를 통해 관찰하듯 제3자가 되어 내가 나를 관찰한다는 마음으로 그동안 불편해하던 나의 모습에 집중해보자. 좀 더 구체적으로 그 상황에 대한 느낌과 정서를 표현할 수 있다면 나를 이해하는 데 큰 도움이 된다. 나에 대한 이해가 많아지면 질수록 부담감이나 압박감으로부터 좀 더 여유가 생기게 된다.

낯선 상황에 긴장감이 심하고 괴로울 땐 나의 어릴 적을 돌아보자. 엄마의 뱃속에서 나의 생명이 시작될 무렵 우리는 놀랍게도 엄마의 뱃속 양수(물 속)에서 헤엄을 치는 수중 생명체였다. 점 같은 형태에서 숫자 9를 연상시키는 형태로 변했고 거대한 머리를 가진 형상에서 점점 더 변화해서 막 태어난 아기의 형태까지 10개월간 무수히 형태를 바꾸는 변화무상한 존재였다. 그래서 지금의 우리 역시 가능성이 무한한 존재이다! 형태를 바꿀 수 없다 하더라도 마음, 감정, 생각, 욕망과 의식 무엇이든지 변화가 가능하고 좋은 방향으로 성장할 수 있다. 나 자신을 믿어야 한다. 변화와 가능성에 대해 용기를 낸다는 것은 내 삶을 온전하게 사랑하는 것이다. 무엇이든 해야지 하는 방향으로 행동하고 그 한 것을 믿어야 한다. 순수하게 잘하기 위해 한 선택은 아무런 해를 끼치지 않기 때문에 겁낼 이유가 없다. 나 자신의 무한한 가능성을 믿는다면 낯선 사람, 낯선 상황, 새로운 도전과 변화에 겁낼 이유가 없다.

#2

무한가능

얼마든지 변화할 수 있다
좋은 방향으로 성장 가능

by 욕산 김태형

(성 장 처 방)

#2

낮가림 때문에
시작하기도 전에
걱정부터 하는
내가 나에게

(성 장 처 방)

문득, 순간적으로 알아차리기

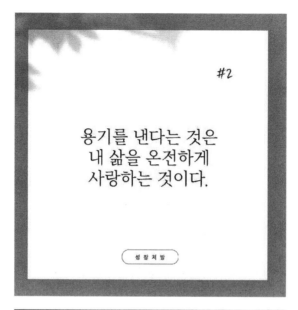

#2

용기를 낸다는 것은
내 삶을 온전하게
사랑하는 것이다.

성 장 처 방

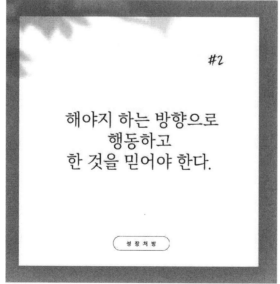

#2

해야지 하는 방향으로
행동하고
한 것을 믿어야 한다.

성 장 처 방

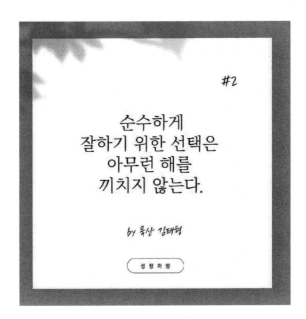

#2

순수하게
잘하기 위한 선택은
아무런 해를
끼치지 않는다.

by 묵산 강태형

(성 장 처 방)

2-3. 단단한 관계를 원한다면 따지지 말자. 그리고 관심 갖기

작년 이맘때 평소에 사적으로 알고 지냈던 미진씨가 우리 지역에 아주 괜찮은 사람들이 있다며 모임을 주선했다. 미술심리상담가인 나와 사회복지사, 부모교육전문가, 뮤지컬기획자, IT프로그램 개발자 등 각기 하는 일은 달랐지만 전문가 5명이 만나 창의적인 교육, 공정한 복지, 차별 없는 사회시스템에 대한 이야기를 나눴다.

그 이후 몇 차례 더 만난 끝에 사회적 협동조합을 결성했다. 5명의 첫 협업사업은 남양주시의 공모사업부터 시작됐는데 지역 현황과 다양한 자료를 조사하고 세부 운영계획서, 사업 예산서, 프로그램 등을 포함한 사업 계획서를 썼다. 상담과 수업만 했지 이런 일을 처음 하게 된 나로선 참 난감했다. 공모사업이 어떻게 돌아가는지 몰라 모든 일에 낯설었고 다른 사람이 해주겠지 하는 수동적 태도로 임했다.

멤버 중에선 미진 씨는 이 분야에 가장 능숙한 유일한 사람이었다. 나를 포함한 다른 4명은 각자 역할을 맡아서 일을 진행했지만 모르거나 막힐 때마다 미진 씨에게 물어봐야 했고 그의 적극적인 도움 덕분에 시작부터 마무리까지 처음치곤 수월하게 끝냈다. 그 후로도 작은 성과 하나 얻는 것조차도 잘 아는 사람은 잘 모르는 사람이 하는 몇 배 더 많은 수고를 해야만 했다. 초보 멤버의 실수가 있을 때는 공들여 만들었던 서류를 아예 처음부터 다시 해야 하기도 했고 거의 마무리돼가던 일도 끝에 가서 갑자기 포기하기도 했다. 이렇게 당황스러운 순간들이 많았지만 미진 씨는 협동조합을 위해 1년 내내 본업이 끝나면 퇴근하고부터 새벽까지 다른 멤버를 대신해서 문서작성에 노력을 기울였다.

이렇게 혼란스러운 1년을 넘기고 2년 차에 접어 들어서야 5명의 멤버 모두가 프로그램을 기획하고 진행하는 전반적인 일 처리가 가능해졌다. 그 이후로 크고 작은 여러 공모사업을 따서 진행했고 3년부턴 좋은 성과를 내서 더 큰 규모의 국가기관 사업들도 진행할 수 있게 되었다. 미진 씨의 희생이 없었다면 5명 모두 성공적으로 적응을 못했을 것이다. 더 고마운 것은 생색내지 않고 뭔가 해준 것이 너무 고맙다.

 새로운 일을 누군가와 함께 시작하면 아무리 잘난 사람도 모두 혼자만 할 수 없다는 걸 분명히 알게 되었다. 직장 동료이든, 거래처 관계자든, 일과 관련된 누구든, 심지어 손님들까지 누군가와는 반드시 함께 해야 한다. 좋은 관계를 잘 유지할 때 일이 물 흐르듯 매끄럽게 진행된다. 또 시간이 갈수록 더 친해지고 관계가 단단해지면 어떤 일이든 즐겁게 할 수 있다. 더 나아가 오랜 친구처럼 서로에게 안정감을 주는 관계로 발전된다면 내가 하는 일은 더 성장하고 모든 환경이 만족과 행복으로 가득해진다.

어떤 마음으로 인간관계를 해야 단단한 관계가 형성될까?

 첫째는 도움을 주고받는 인간관계에서 '댓가를 바라지 않는 태도'는 정말 중요하다. 대부분 관계가 깨지는 이유는 뭔가 해준 사람은 동료가 알아주지 않아서 섭섭하고, 반대로 받은 사람은 해준

이가 생색내는 것이 못마땅해서 서로를 탓하다 보면 오래 못가서 서로 원망하는 사이가 되고 만다. 사소한 것이라도 댓가를 바라지 않는 마음으로 담백하게 도움을 주는 태도로 인간관계를 한다면 누구와도 즐겁게 함께 할 수 있다.

동료가 필요로 하는 요청들은 사소한 것이라도 보상을 고려하지 않고 기꺼이 도와줘야 한다. 내가 해주고 생색을 내건 아닌지, 나도 모르게 대가를 바란 건 아닌지 잘 살펴보자. "따지는 건 아니지만~"하고 시작하는 말은 분명히 따지는 것이 되고 "칭찬받으려고 하는 건 아니지만 ~"으로 시작한다면 확실히 칭찬받고 싶은 것이 되고 만다. 이렇게 무의식 안에 숨어있는 내 마음은 나는 그러고 싶지 않다고 생각하지만 상대에겐 정반대의 모습으로 비치기 때문에 보는 사람의 마음을 불편하게 만들기 마련이다.

두 번째는 인간관계에서 중요한 사람을 가족 대하듯 해야 한다. 너무 당연한 이야기로 들리겠지만 단단한 관계를 원한다면 동료를 가족처럼 생각하자. 결속력 있는 인간관계의 바탕은 가족이다. 필요한 것은 무엇이든 아낌없이 적극적으로 지원하는 것이 가족이다. 특히 정서와 감정에 대한 지지가 정말 중요하다. 밖에서 스트레스를 받고 오더라도 가정 안에서 충분한 정서적 지지가 있을 때 완충 역할을 해주어 잘 견뎌낼 수 있다.

가족과 같은 믿음을 보내준다면 어떤 상황에서도 흔들리지 않는 단단한 마음이 유지된다. 좋은 것이 생기면 가족과 나누듯 동료와 먼저 나누고 힘들고 슬플 때 가족과 마음을 나누듯 진심으로 위로해 주자. 모두가 좋아하는 사람, 인간관계를 잘하는 사람들을 관찰해보면 그가 속한 그룹의 한 사람, 한 사람에게 충분한 관심을 준다. 입장을 바꿔서 동료에게서 관심을 받는 이는 참으로 기분 좋을 수밖에 없다. '남을 어떻게 가족으로 생각할 수 있나요?'라고 묻지 말고 '남이다. 가족이다.'하는 구분자체를 하지 말자.

아주 작은 꽃도 잎사귀에 먼지를 닦아주고 햇볕 잘 드는 방향으로 옮겨주며 물은 부족하지도 과하지도 않게 적절히 조절하면서 관심을 두고 살펴야 건강하게 자란다. 상기하자! 동료에게도 적절한 거리를 유지하면서 주의를 기울이고 관심을 주면 서로 가족 같은 정서를 느끼게 된다. 일정한 기간 동안 지속적으로 이런 관심을 주고받다 보면 서로의 관계에 애정이 가득 담기게 된다. 따지지 않고 도와주고 주위와 관심을 기울이는 이 간단한 행위로 인간관계는 성장하고 그 속에서 나 자신은 보다 나은 사람이 된다.

세 번째, 삶에서 주어지는 모든 것은 결국 나를 위한 것이다. 좋은 인간관계에서 긍정적인 정서와 자극이 나의 자존감을 높여준다. 나쁜 관계 속에서 나의 약점과 결함을 발견하고 사과하고 용서할 수 있다면 그 관계를 통해 성장의 에너지를 얻을 수 있다. 다만 조심해야할 것은 관계 속에서 어려움을 겪고 있을 때 너무 상대에 맞추거나 회피해서는 상황을 해결할 수 없다. 오히려 내적으로는 나 스스로를 긍정하고 외적으로 나의 생각, 나의 입장을 잘 표현하는 것이 중요하다. 이런 방식으로 주어진 어려움을 극복하는 것은 결국 나 자신을 사랑하는 것이 된다. 인내심을 가지고 정직하게 좋은 관계를 형성하고자 하는 마음을 유지한다면 반드시 긍정적인 상황이 된다.

#3

단단한
인간관계 안에서
행복 찾기

성 장 처 방

#3

댓가를 바라지 않고
기꺼이 도와주기

성 장 처 방

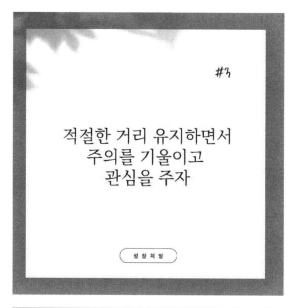

#3

적절한 거리 유지하면서
주의를 기울이고
관심을 주자

성 장 처 방

#3

나쁜 관계 일지라도
사과하고
용서할 수 있다면
삶은 성장한다.

성 장 처 방

2-4.시작한 용기에 박수와 응원 한 스푼

든든한 사람

원했던 그 일을 시작한 당신에게 박수와 응원을 보낸다. 어떤 일이든 시작하기도 전에 '된다. 안 된다.'라고 결론부터 생각하는 것은 무지한 일이다. 한번 뿐인 인생 아름다운 삶을 살아가기 위해선 하고자 하는 것을 하는 용기가 필요하다.

지수 씨는 매사에 성실한 태도로 임하는 누구나 좋아하는 평판 좋은 사람이다. 그는 파트타임으로 일주일에 두 번 정도 근무하기 때문에 사무실을 운영하는 나와 사적인 이야기를 한다거나 일 외에 다른 교류는 거의 없었다. 그럼에도 함께 일한 지 벌써 10년째인 지금은 마음으로 항상 응원하고 지지하는 서로 각별한 사이가 됐다.

처음 사무실에 면접 보러 온 날 생각이 난다. 면접자인 나는 이런저런 업무적인 내용을 물어보다가 면접이 거의 끝날 즈음 그

당시 나 자신에게 한참 빠져 있던 자문自問 '사는데 무엇이 제일 중요 한가?'를 지수 씨에게 질문했다. 순간 질문을 받은 지수 씨는 잠시 멈칫하더니 처음 보는 내 앞에서, 더구나 면접자 앞에서 펑 펑 울었다. 물어본 내가 오히려 너무 당황스러웠다. 그가 당황해서 그랬던 건지? 다른 이유였는지?는 몰랐지만 '순수함과 열정을 가진 사람이구나.'라는 생각과 뭔지 모를 특별한 느낌을 받았다.

 지수 씨는 명문 대학을 졸업했다. 졸업과 함께 당연히 좋은 직장이 보장될 거라는 가족의 기대와 다르게 본인이 하고 싶은 연기 공부를 하며 꿈을 꾸고 있었다. 연기 학원비와 최소한의 생활비를 위해 내 사무실에 파트로 일하러 온 거였다. 가족뿐 아니라 친구, 지인들이 얼마나 반대했을까? 미래가 보장된 것도 아닌 이 무모한 도전에 주위의 반응이 충분히 상상된다. 낯선 상황인 면접장이었지만 신념에 반하는 주위사람들의 질타와 본인 신념에 따라 해왔던 모든 일들이 한꺼번에 참고 참아 왔던 감정이 터져버렸던 것이다. 그 후 함께 일하는 동안 그가 출연하는 연극 공연에 관람객으로 응원하러 간다거나 영화가 끝나고 엔딩에 수많은 출연자 자막 속 보조로 출연한 그의 이름을 열심히 찾아서 사진 찍고 공유하면서 그의 새로운 도전에 열심히 진심으로 응원했다.

나 역시 지금까지 해오던 일을 조금씩 줄여가며 작가가 되기 위한 새로운 일을 시도하고 있다. 현실적인 경제활동을 줄이고 하고 싶은 일을 한다는 것, 글을 쓴다는 것이 얼마나 힘든 일인지? '왜 자꾸 책을 내려고 하는 거야? 돈이나 벌지.'라는 주위 사람들로부터 부정적인 말을 수없이 들었다. 심지어 출간한 책을 선물로 주는 자리에서 "요즘은 개나 소나 다 책 쓴다."라는 소리를 들을 정도였다. 비꼬는 타인의 시선에 맞서 홀로 서는 데 얼마나 큰 용기가 필요한 지 잘 알기에 진심으로 그가 잘되기를 바랐다.

나의 진심 담긴 응원은 꼭 이름 날리는 연기자로 성공했으면 하는 현실적인 바람과는 결이 조금 다르다. 물론 모두에게 알려지는 유명한 연기자가 되는 것도 좋은 일이겠지만 그보다 자신이 가치 있다고 생각하는 일을 오롯이 해나가는 것. 그 과정을 그가 온전히 누리는 삶이되기를 바라는 응원이다. 이 세상에 태어난 의미를 이해하고 나의 존재를 소중히 하며 원하는 방향으로 진심을 다해 살아가는 것은 그 자체로 아름다운 일이기 때문이다.

　이런 마음속 이야기를 지수 씨와 구체적으로 나누진 않았어도 서로 어떤 마음으로 응원하는지 잘 알기에 지수 씨와 나는 지금까지 참 좋은 관계로 살아가고 있다. 꼭 부모가 아니라도 이 세상에 나를 지지해 주는 든든한 사람이 단 한 사람이라도 있으면 어떤 어려움도 극복해 낼 힘이 난다.

어른아이

　지지해 줄 사람도 없고 나 자신도 누군가를 지지해 줄 마음의 준비가 안 되어 있다면 어쩌지? 뭔가 받고만 싶고 나눌 준비가 안됐다면 아직은 내 마음이 성장하지 못한 탓이다. 내면은 어린이이고 겉모습만 어른인 '어른 아이'이기 때문이다. '어른 아이'는 과거로부터 받은 상처를 아직 해결하지 못하고 내면에 상처를 안고 살아가는 사람이다. 흔히 말하는 '내면아이, 어른아이' 이런 거다. 과거 마음의 상처를 당시에 해결하지 못하고 마음속 깊숙이 안 보이는 곳에 넣어두고선 살아간다. 그렇지만 보이지 않는다고 없는 것은 아니다.

지금 당장이라도 상처받았던 그때와 같은 상황, 그때 그 사람을 떠오르게 하는 누군가와 마주친다면 괴로움이 금새 올라와 지금의 나를 괴롭힌다. 그래서 '내면아이'를 대면하고 성장시키지 못하면 의존적이고 무기력해지기 쉬워진다. 반대로 내면아이를 치유하고 마음을 성장시키면 나 자신과 타인 누구에게도 좋은 부모 역할을 하는 사람이 될 수 있다. 내가 뭔가 새로운 것에 도전할 때 스스로에게 응원과 격려를 해주는 자존감 높은 사람이 될 수 있다.

지금 바로 내면에 상처들을 다독이고 나를 성장시키자. 해야겠다 싶은 방향으로 일을 하자. 새로운 시작에 망설임 없이 시작하자. 그것이 성장하고 나답게 살아가는 방법이다. 필 것 같지 않던 단단한 초록색 봉오리가 어느 순간 갑자기 화려한 색 꽃으로 활짝 피어오르듯이 이 글을 읽고 있는 그대 역시 얼마든지 피어날 수 있다.

#4

'된다. 안된다.'
결론부터
생각하지 말자!

성 장 처 방

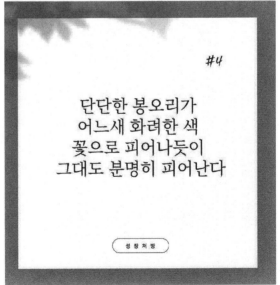

#4

단단한 봉오리가
어느새 화려한 색
꽃으로 피어나듯이
그대도 분명히 피어난다

성 장 처 방

#4

언제나 널 응원해!

by 목산 김태형

(성 장 처 방)

2-5.영향력이 큰 그에게서 한걸음 물러나기 대작전

수이 씨는 결혼 생활 20년을 이어온 중년의 주부이다. 아이들이 성인이 될 때까지 양육이 가장 우선이라는 가치관을 갖고 있다. 그러다 보니 경력이 단절됐고 최근엔 할 수 있는 일은 특별한 기술 없이도 할 수 있는 단순 노동직뿐이어서 물류센터에서 일하게 되었다. 일한 지 몇 년이 지났고 막상 일을 하면서도 나이가 더 들면 힘에 부쳐 못하겠구나 하는 생각을 요즘 자주 한다. 더 늦기 전에 뭔가 전문적인 일을 해야겠다는 결심을 했고 최근에 국가공인자격증 공부를 시작하면서 평소 일주일 중 5일 하던 것을 3일로 줄이고 공부에 집중하고 있다.

문제는 공부하느라 관리자에게 "오늘은 못 나갈 것 같아요."라고 자주 말하게 됐다. 이 물류 일은 정규직이 아니라서 회사에 인력들을 연결해 주는 중간관리자인 미영 씨가 '누구누구 내일 나와주세요.' 해야 출근할 수 있다.

 다행히 일 년 넘게 언니 동생으로 친하게 지내다 보니 지금까지 잘 지내왔지만 올해 들어 공부를 시작하는 바람에 요청을 정중하게 거절하는 일이 더 잦아진 것이다. 못나간다는 통화를 하면서도 이 사람과 인간관계를 잘해야 되는데 싶어 뭔가 기분이 찝찝하다. 내가 중요하다고 생각하는 걸 선택하는 건 너무도 당연한 거지만 사람 관계가 얽히고설키면 이래야 하는 건지? 저래야 하는 건지? 판단하기가 더 어려워진다. 이런 곤란한 상황일 땐 어떻게 해야 하는 걸까?

 첫째, 나 자신에 대한 확신과 좋은 희망은 운명을 극복한다는 점을 생각해야한다. 내가 해야 한다싶은 일과 중요한 가치를 꾸준히 추구하는 것이 중요하다. 그러기 위해서 나 자신을 굳게 믿어야 한다. 마음이 흔들리고 의지가 약해져서 내가 해야 할 일을 하는 긍정의 에너지를 스스로 꺾어선 안 된다. 당장의 상황이 어렵더라도 반드시 할 수 있다는 마음을 단단히 하는 것. 결과가 긍정적으로 나올 것이란 희망을 분명하게 가지는 것이 중요하다. 이렇게 마음과 감정 그리고 태도를 한 방향으로 유지하면서 하루하루 해나가면 적정한 기간이 지났을 때 나의 모든 상황은 올바른 방향으로 가게 된다.

둘째, 내 감정의 이유를 분명하게 알아차리고 상대에게 자세히 부드러운 태도로 내 입장을 표현한다면 나와 상대의 마음과 행동은 좋은 방향으로 흐른다. 나에게 일을 연결해주는 그 사람과 좋은 관계를 유지하고 싶은 마음과 전문직을 위해 중요한 공부를 하고자 하는 마음 둘 모두를 충족시키고 싶기 때문에 혼란스러울 수밖에 없다.

서로 다른 방향의 두 가지를 동시에 만족시키기는 어렵다. 어느 것이 더 중요한지 내가 한 그 선택에 따라 손해는 감수해야 한다. 인간관계를 해치지 않으면서 할 수 있으면 더 좋겠지만 어떤 사람도 내 마음대로 움직일 수 없을 뿐더러 그 사람 요구에 딱 맞추는 사람이 되는 것은 더 불가능하다. 가능한 범위 안에서 최대한 자상하고 부드럽게 대하면서도 내 생각과 행동은 옳은 방향으로 선택해야 한다.

  또 남에게 너무 맞춘다는 생각이 올라오면서 자책하기 시작하면 나답지 못하단 생각이 자꾸 들 수밖에 없다. 이런 자책들이 쌓이면 늘 인간관계의 단절에 대한 걱정을 하면서 살아야 한다. 나 자신을 슬픈 느낌이 들게 하는 그런 선택은 하지 말자. 내가 원하는 것이 무엇인지? 필요한 것은 무엇인지? 의식을 맑게 하면 막연히 불안해지는 무의식의 문제들을 충분히 해소할 수 있다. 내 감정의 원인을 명확히 알아차리는 것이 의식을 맑게 하는 것이다.

#5

희망확신

해야 할 일을 하는 긍정
에너지 스스로 꺾지 않기

by 목산 김태형

성 장 처 방

#5

하고자 하는 일과 인간
관계가 서로 부딪힐 때
"어떻게 하지? "

성 장 처 방

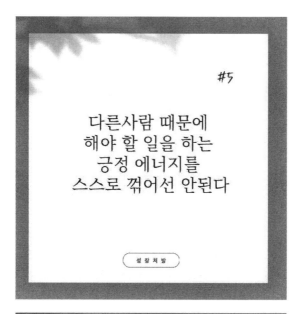

#5

다른사람 때문에
해야 할 일을 하는
긍정 에너지를
스스로 꺾어선 안된다

성 장 처 방

#5

나 자신에 대한 확신과
좋은 희망은
운명을 극복한다

성 장 처 방

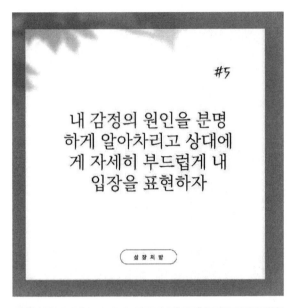

#5

내 감정의 원인을 분명
하게 알아차리고 상대에
게 자세히 부드럽게 내
입장을 표현하자

성 장 처 방

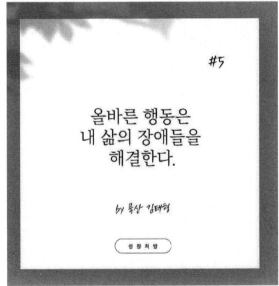

#5

올바른 행동은
내 삶의 장애들을
해결한다.

by 묵산 김태형

성 장 처 방

64   문득, 순간적으로 알아차리기

2-6.초보 작가의 현자 타임, 정신 차리자!

2016년 첫 책을 낸 이후 사람들에게 더 와 닿는 글을 써야겠다고 결심을 했다. 미술심리 수업에서 만다라를 기반으로 한 12단계 심리성장 프로그램을 수없이 반복해서 진행하면서 현장에서 느끼는 감동을 생생하게 담은 책을 쓰기 위해 오늘도 애쓰고 있다. 초보 작가로서 활동하다 보면 유명 작가들도 함께하는 북토크에 공동 게스트로 함께 참여할 땐 작가란 말을 꺼내는 것조차 쑥스럽다.

또 책 출간 막바지에 출판사와 편집회의에서는 편집담당자가 요즘 시장의 흐름이나 트랜드에 대해 이렇다 저렇다 하는 조언에 아주 민감해지고 독자의 구매 경향에 따라 내용을 몇 번씩 바꾸기도 했다. 그뿐만 아니라 한 해 동안 준비한 원고와 책에 실을 그림을 매번 유명한 소설가, 시인, 화가들에게 보여주고 어떤지를 물어봤다. 사실 그렇게 한다고 해서 베스트셀러 작가가 된다거나 유명해지는 것도 아닌데 몇 년을 그렇게 쓰고-묻고-고치기를 반복했다.

그러다가 어느 순간 '내가 지금 뭐하고 있는 거지?'라는 현실 자각 타임이 왔다. '유명한 사람', 사람들에게 많이 알려진 사람이 되고 싶은 욕망 때문에 내 중심을 향해 가는 것이 아니라 겉만 빙빙 돌고 있다는 생각이 들었다. 상담과 수업 현장에서 느꼈던 생생한 감동을 책에 담는 목적은 온데간데없고 책을 많이 팔고 싶고 유명해지고 싶은 욕망들만 잔뜩 남았을 뿐이란 걸 알았다.

난 스스로에게 부끄러웠다. 그리고 나의 초심은 무엇인지? 다시 물었다. 사실 내가 글을 쓰고자 하는 근본적인 목적은 '성장과 위로'이다. 쓰는 과정에서 나 자신도 성장하고 내 글을 읽는 사람들도 함께 성장하고 위로받길 바란다. '작품이 좋다. 아니다.'하는 판단 기준은 '성장과 위로가 충분했는가? 부족한가?'하는 기준에 따라야 한다.

지금은 다시 초연한 마음으로 돌아가 글을 쓰고 있다. 사람마다 생긴 것도 다르고 성격도 다른 것처럼 작가마다 글 쓰는 목적과 표현방식이 다를 수밖에 없어서 누가 그 책에 대해서 좋다 나쁘다 할 수 있는 자격을 갖춘 사람은 존재하지 않는다. 그리고 책을 읽는 모든 독자에게 만족감을 준다는 것 역시 불가능한 일이다. 나의 창조의 근원에서 나온 색깔대로 글이 나오고 그 글을 좋아하는 사람, 그 글이 필요한 사람에게 위로와 성장을 줄 수 있을 뿐이다.

열심히 정성껏 글을 쓴다면 작가로서 소임은 그것만으로 충분하다. 이렇게 마음을 먹고 나니 다른 선배작가를 찾을 필요가 없어졌다. 초기에 글과 그림에 영향을 받았던 작가들에게서 한걸음 물러나게 되었다. 더 이상 내 작품에 대한 평가를 묻지 않자 오히려 나만의 색깔을 드러내는 것이 편해졌다. 또 빨리 어느 수준까지 작가 위치에 올라야 한다는 강박에 가까운 생각도 한결 가벼워졌다. 내가 할 수 있는 만큼 매일 쓰고 정성을 기울여 목적에 맞는지 살펴보며 점검하고 있다.

나답게 살기로 마음먹었다면 먼저, 내 개성, 나 자신의 고유한 색깔을 소중히 해야 한다. 내가 하고 싶은 것이 다른 욕망을 채우기 위한 수단인지? 순수하게 하고 싶은 것인지? 또 나에게 중요한 타인의 요구에 맞추려는 것인지? 오롯이 나의 색을 내는 것인지? 이런 물음에 대한 생각정리도 필요하다.

막상 '나답게'를 실천하다보면 현실적으로 '도전'과 '안전'의 딜레마를 수시로 만나게 된다. 두 가지 서로 다른 입장, 독립적이고픈 마음과 기존의 안전에 머물려는 마음이 동시에 공존하는 할 수밖에 없다는 것 자체를 받아들이자. 그리고 두 가지 마음 가운데 내 생각을 온전히 펼치는 쪽으로 힘을 더 싣는다는 생각을 하자. 그리고 시간이 걸리더라도 천천히 그 마음이 무르익을 때까지 여유를 가져야 한다.

딜레마가 올 때마다 내가 원하는 것이 상상하는 것인지? 내가 진정으로 추구하는 본질, 실재인지? 구별하는 판단을 해야 한다. 이런 판단은 불필요한 집착에서 멀어지게 하고 복잡했던 마음을 바로잡아 정리하게 한다. 좋은 판단은 올바른 실천을 하고 있다는 것을 스스로에게 약속하고 다짐하는 것이고 그래서 하는 올바른 행동은 내 삶의 장애들을 해결하게 한다.

#6

초심잡기

욕심과 본질 사이를
왔다 갔다 하는 딜레마

by 묵산 김태형

성장처방

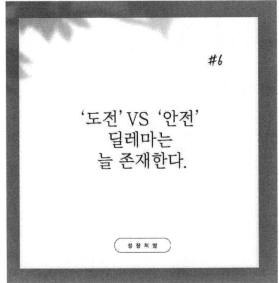

#6

'도전' VS '안전'
딜레마는
늘 존재한다.

성장처방

문득, 순간적으로 알아차리기

#6

딜레마가 올 때마다
헛된 상상인지? VS
본질을 추구하는건지?
구별해야 한다.

(성 장 처 방)

#6

상상과 본질을 구분하는
판단은 불필요한 집착에
서 멀어지게 하고 올바
른 실천을 하게 한다.

by 목산 김태형

(성 장 처 방)

2-7.불만투성이 떼쓰기를 그만 둘 용기가 필요해

딜레마에 빠졌다.

"그건 아니죠."
"거봐요. 내가 그럴 줄 알았어. 내가 말했죠. 그렇게 될 거라고."
"왜 화를 냅니까? 언성을 낮추고 차분하게 말하세요."
"그건 선 넘는 겁니다."

회의 때마다 황 이사의 이런 말들이 귀에 거슬린다. 한두 번이 아니다. 몇 번 참고 넘어가려고 했지만 들으면 들을수록 거북하고 참을 수가 없다. 매번 큰 프로젝트의 기획부터 진행까지 큰 역할을 하는 황 이사를 이사회 그 누구도 무시할 수 없는 존재이다.

황 이사와 알고 지낸지는 벌써 10년이 넘는다. 10년 전 경기도에서 진행하는 역량 강화 프로그램에 참여하면서 한 팀이 되었다. 서글서글한 성격에 사람 좋은 첫인상에 누구와도 스스럼없이 금방 친해지는 황은 25명 팀원 모두가 좋아했다. 투표로 거의 만장일치로 단번에 팀장이 됐을 정도였으니까. 프로그램 진행하는 내내 정말 친하게 지냈다. 그 후로도 간간이 황이 진행하는 프로그램에 내가 가기도 하고 내 프로젝트에 황이 오기도 했다.

그러다가 몇 년 전에 나의 소개로 우리 회사에 합류하게 됐다. 회사가 어려울 때 큰 힘이 되는 인재 영입이라고 운영진과 나를 포함한 모두 한껏 기분이 들떴다. 그러나 든든한 사람이 함께 일해서 큰 도움이 될 거란 생각과는 별개 막상 가까이서 함께 일을 하다 보니 나로썬 이런저런 여러 가지 불편함이 생겼다.

예를 들면 처음에 서로 암묵적으로 도와주던 일이 지금은 당연한 것처럼 되어 버렸다. 그래서 너무 피곤하거나 일이 많을 땐 못한다고 거절해야 할 일을 어쩔 수 없이 해주는 일이 생기고 그러는 와중에 이건 좀 무리다 싶을 땐 서운함도 느끼기 시작했다. 함께 일한 처음 1년은 별문제가 없다고 생각했는데 그 다음 해엔 조금 서운했고 3년째가 되면서 나만 더 손해 보는 것 같은 생각이 들어 기분이 나쁜 일은 더 많아졌다. 더구나 황은 짧은 기간 안에 대표이사가 되어 회사 내 영향력이 더 커졌으니 거절하기는 더 어려운 상황이 됐다.

황 대표에 대한 부정적인 감정이 하나 둘 쌓이던 어느 날 결국 회의에서 참던 것이 터져 버렸다. 나는 그동안 내 입장에선 내가 더 참고 또 참아왔다고 생각했는데 오히려 그날 황 대표가 본인이 억울한 것처럼 구구절절 거침없이 묵은 이야기들을 쏟아냈다. 내가 요청한 일들이 그동안 황의 입장에서는 친한 사이라서 거절하지 못해서 어쩔 수 없이 했다, 황 대표 영역이 아닌 일도 나의 면을 봐서 기꺼이 했는데 기분은 나빴다, 일을 더 많이 하는 것은 감수할 수 있지만 징징대듯이 하는 말들을 더 이상 받아 줄 수 없다. 등등 그뿐만 아니라 '그건 아니죠.', '거봐요. 내가 그럴 줄 알았어.', '왜 화를 냅니까? 언성을 낮추고 차분하게 말하세요.', '그건 선 넘는 겁니다.'라고 내가 싫어하는 말투들을 섞어가며

옛날 일 하나하나 끄집어내는데 정말 그 순간 황이란 사람은 다시는 만나고 싶지 않은 존재였다.

그 모든 나쁜 것들 중에서도 최악인 것은 모든 상황을 자기중심적으로 해석해서 아무리 그런 의도 아니라고 해도 "아니. 넌 의도적으로 그런 거지. 넌 내가 상처받길 바라는 거잖아."라는 식으로 남의 의도를 멋대로 규정짓는 것이다. 그 사람은 회사 팀원들의 다양한 생각을 이해하지 못하는 것 같다. 본인의 뜻에 찬동하는 사람에게 먼저 혜택을 주고 그런 사람에게만 보상도 준다. 모든 상황에는 볼 수 없는 면들이 있어서 함부로 판단해선 안 되며 매사 주의를 기울이고 조심해서 살펴야 한다는 나의 평소 소신과 완전 반대로 하는 사람이 바로 황인 것이다.

지금 나는 며칠째 고민 중이다. '어떻게 하면 안 볼 수 있지.', '회사를 그만 둘까?' 어쩜 이리 싫어질 수가 있을까? 왜 이렇게 된 걸까? 한때 나는 잘못하는 내 약점들을 모두 잘 해내는 황이 부러움의 대상이기도 했고 때로 나는 생각지도 못한, 어떻게 저런 멋진 말을 하지? 싶을 정도로 적절하면서도 철학적인 얘기를 하는 그를 보면서 '참 닮고 싶다.'는 생각하게 한 멋진 사람이었는데 지금은 아주 꼴도 보기 싫은 사람이라니 사람에 대한 이미지가 이렇게까지 극에서 극으로 바뀐다는 것이 놀랍다.

황을 안 보자니 회사를 그만둬야 하고 그냥 아무 일 없는 듯 보자니 가슴 답답한 이 불편한 상황에서 도무지 해결할 방법을 모르겠다. 섣불리 다른 사람에게 하소연하자니 그 얘기 끝에 따라나올 뒤가 두렵고 마땅히 털어놓을 사람도 없다. 인간관계에 대한 책도 읽어보고 관련된 유튜브 영상들도 보면서 나름의 해결 방법을 찾느라 몇 주 동안 애썼지만 뭔가 속 시원한 해결책은 없었다.

떼쓰기

 이래저래 속만 끓이던 어느 날 퇴근하고 가족 모두 잠든 조용한 심야에 작은 스탠드 하나 켜고 노트를 폈다. *끄적끄적* 낙서하다가

 황이 마음에 안 드는 행동, 말투, 표정들을 조목조목 써 봤다. 한참을 쓰다가 몇 달 전에도 황 대표 때문에 속상했던 내용들이 적힌 앞쪽 페이지를 열어 봤다. 쓴 글을 다시 읽어보니 이래서 싫고 저래서 싫다는 글이 잔뜩 써져 있다. 근데 그 글을 쓸 땐 몰랐는데 밉고 싫어서 썼던 것들이 지금 다시 보니 내 입장에서 황 대표가 이랬으면 하는 것들이었다는 생각이 들었다.

 사람이 어찌 내 마음대로 될까? 당연히 안 될 일이지만 나도 모르는 사이 내가 뭔가 이랬으면 하고 원했고 원하는 대로 안 될 때마다 화내고 있었다는 걸 이제서야 이해했다. 그리고 회의에서

황 대표가 말한 것처럼 내가 뭔가를 하면서 투덜거렸던 순간이 듣는 사람에게는 징징거리는 아이처럼 느껴졌겠구나 싶었다. 어떤 면에선 황의 거슬리는 행동을 나 역시 다른 사람들에게 비슷하게 하고 있었다는 생각도 들었다. 황 대표에 관한 문제가 정말 나를 해칠만큼 심각한 문제였다면 과감하게 회사를 그만두고 이 문제에서 완전히 빠져나오면 그만인 일인데 뭐가 아쉬운 지 한쪽 발을 담근 채로 계속 그렇게 투덜거리고 있었구나 싶었다. 나는 겉만 어른이었지 속은 떼쓰는 아이었나 보다.

좋다 싫다 구분하는 내 마음 안에 그 사람이 내가 원하는 대로 해줬으면 하는 욕망이 숨어있다. 또 내가 기대한 대로 안 될까 봐 혹은 다른 사람이 나를 부정적으로 볼까 봐 걱정하는 마음, 그 두려움 때문에 내 선택과 행동에 제한이 생긴다. 그런 속박이 나를 이러지도 저러지도 못하는 무기력한 상태로 만들기도 한다.

이런 나의 부정적인 사실을 마주한 지금 나에겐 무엇이 필요할까? 분명해진 것은 내 마음을 이해하고 나니 황 대표가 미웠던 내 마음, 그 문제가 지금 이 순간 그렇게까지 중요한 일인가 싶어졌다. 마음이란 참 이상도 하지! 순식간에 180도로 바뀌다니. '모든 것은 집착하지 않을 때만 통제가 가능해진다.'는 말이 정말 옳다고 느껴지는 순간이다. 앞으로는 상황의 흐름에 따라 내 마음은 어떻게 움직이는지 잘 봐야겠다 싶다. 그렇게 하면 내가 해야 할 일을 하면서도 나의 감정에 휘둘리지 않을 수 있을 것 같다.

또 이번처럼 사람 사이의 문제로 괴로움이 올 때마다 먼저 내 모습부터 살펴보고 나서 내 주위 사람들의 입장은 어떤지? 하나하나 마음을 살펴보는 주의를 기울여야 하겠다고 다짐해 본다. 이렇게 다짐하니 뭔가 내가 어른이 된 것 같다. 내 인생의 주인공이 되려면 우선 마음이 어른이 되어야 하는 거 아닐까? 다른 사람들에게서 내 모습을 발견하고 내 모습에서 다른 사람을 이해하는 것만으로도 감정이 스르르 풀리고 마음이 훈훈해진다.

#7

어른인생

감정에 휘둘리지 않고
내가 해야할 일을 하기

by 목산 김태형

(성 장 처 방)

#7

늘 좋다. 싫다.
따지는 불만투성이
떼쓰는 어린이 같은 나

따지면 따질수록
스스로 구속된다.

(성 장 처 방)

#7

나 자신을 의미 있는
존재로 받아들이자.

나는 쫀쫀한 사람이
아니다.

성 장 처 방

#7

허리를 펴고

다른 사람들에게서
내 모습을 발견하고
내 모습에서 다른 사람
을 이해하자

성 장 처 방

#7

모든 것은
집착하지 않을 때만
통제가 가능해진다

by 묵산 김태형

성장처방

3.아빠 상담사는 오늘도 육아살림 중

3.아빠 상담사는 오늘도 육아살림 중

3-1.살림하면서 철 드는 남자

 힘든 하루가 끝나간다. 아름다운 저녁노을은 마음을 풍요롭게 한다. 밤이 오는 것은 조금 두렵지만, 내일 해가 다시 뜬다는 기적의 약속이 있기에 걱정은 접어두고 지금 당장, 분홍빛 풍경에 설렌다. 뜨거웠던 열정의 꽃은 하루를 다 겪고 나서야 황금 꽃으로 변해 그 씨앗을 뿌리고 있다. 참으로 하루를 온전히 보내지 않고서는 참된 아름다움을 느끼기는 불가능한 일인가 보다.

살림을 하면서야 비로소

삶의 과정에서 오는 갖가지 일들은 왜 그런지 이유는 다 알 수는 없지만, 그 하나하나 필요해서 일어나는 것은 분명하다. 어떻게 아냐고? 잘 자란 나무에서 열매가 맺히면, 열매가 무르익을수록 무거워져서 결국 땅에 떨어진다. 떨어진 열매 속의 씨앗이 땅속으로 스며들어 다시 생명의 싹을 틔운다. 이렇게 생명의 순환은 시작도 끝도 없다. 그 순환 안에서 수많은 씨앗들 중에서 극히 일부만 싹이 난다. 대부분의 싹을 못 내고 땅에 떨어진 씨앗은 필요 없는 존재일까? 그렇지 않다. 떨어진 씨앗은 아주 작은 벌레부터 크고 작은 산 짐승까지 자연의 생명을 유지케 하는 식량이 되거나 제 몸을 썩혀서 나무의 양분이 된다. 싹을 틔우지 않는다고 결코 필요 없다고 할 순 없다.

삶에서도 결과가 분명한 일을 좋은 마음, 감사한 마음으로 받아들이는 건 당연하겠지만 기대했으나 실패한 혹은 생각지도 못한 갑작스런 사고들, 원하지 않는 싫고 힘든 일이 내게 올 때, 그런 일을 대할 때도 감사함이 있어야 한다. 감사함까진 어렵더라도 기꺼이 맞이해야한다. '무슨 이유가 있어서 나에게 온 것이겠지.'라는 마음으로 대해야 한다는 걸 이해하게 됐다.

요즘 일이 뜻대로 되지가 않는다. 지금까지 해오던 사업이 날이 갈수록 점점 힘들어진다. 사업규모도 줄었고 수입도 많이 줄었다. '열심히 노력하고 있잖아, 시장 환경이 달라져서 어쩔 수 없는 거잖아.'하고 스스로 다독여 보지만 마음과 현실은 너무 다르다. 끙끙 앓고 있는 나를 보며 아내는 본인이 조금이라도 벌어야겠다고 한다. 지금까지 힘들어도 아내가 육아에만 전념하기를 바랐다. 내가 어렸을 당시 워킹 맘이었던 엄마가 너무 바쁘다 보니 아침 일찍부터 저녁 늦게까지 혼자 놀아야 했다. 그래서 늘 혼자였던 나처럼 아빠인 나는 내 아이에겐 그 쓸쓸함을 주기 싫었다. 하지만 계속 생활비를 충분히 못 주는 처지다 보니 이젠 더 이상 적극적으로 나서는 아내를 말리진 못한다.

생활력이 강한 아내는 20대부터 안 해본 일이 없을 정도로 여러 가지 아르바이트를 두루 경험했고 결혼 전까지 한 직장에서 쭉 일을 했었다. 하지만 결혼하고 나서 남편의 완강한 바람 때문에 아이를 낳고 육아만 해왔다. 경력이 단절됐다. 일을 안 한 지가 15년이 지난 지금 다시 일한다는 건 대단한 용기가 필요하다. 나이가 많아서 예전 같은 전문직으로 일하긴 현실적으로 어렵다. 이래저래 알아보던 아내는 지인의 소개로 물류공장에서 단순 작업을 반복하는 파트타임 일을 하게 됐다. 이제 오전은 아내가 일하고 그동안 집안일은 내가 한다. 다시 오후엔 내가 출근하고 아내가 살림을 한다.

최근 몇 년 동안 주머니 사정이 점점 더 나빠지면서 심적으로 많이 힘들어졌다. '왜 맨날 나만 이럴까?' 자책도 하고 '험한 일이라도 현금이 바로 들어오는 다른 일을 찾아볼까?' 궁리도 해본다. 하지만 오랫동안 해오던 일을 한 번에 정리한다는 것이 그리 간단하지가 않다. 그런 와중에도 행복한 일이 아예 없는 건 아니지만, 하루를 돌아보면 종일 괴로움만 있는 것 같다. 주의를 다른 곳으로 돌리려고 기도하고, 명상도 하고 책도 읽어보지만 잠시 좋아졌다가 이내 답답해진다.

오늘 식구들은 모두 잠든 하염없이 캄캄한 한밤중에 나만 홀로 책상에 앉았다. 작은 탁상용 조명을 켜고 지난 몇 년 동안 무엇이 힘 들었는지? 살림을 하면서 알게 된 것들, 이런저런 기억나는 것들을 노트에 써본다.

 * 오전 내내 아이를 돌보는 일... 집안일을 해보니 생각보다 여유시간이 없음. 계속 움직여야 함.
* 아침과 점심 준비 ... 이번엔 또 무슨 반찬으로 준비해야 할지? 고민과 함께 괴로움이 매일 같이 찾아옴. * 아이들이 아플 때... 병원에 가야 하나? 조금 더 참아야 하나? 판단하기 어려움.
* 아내의 퇴근 전 집안 정리하기 ... 노는 건 아닌데, 다 못한 일들이 꽤 생김. '전업 주부=종일노동자' 참 힘들다. 일하러 나가는 게 차라리 낫다.
* 돈이 정말 하나도 없는 상황 ... 체크카드를 긁자 '잔액 부족'이 떠서 물건을 다시 내려놓게 된다.
* 결재일은 다가오고 돈은 들어오지는 않는 상황, 고객의 폐업 소식, 모두 가 연결되어 있다. 확실히.
* 고객 수가 줄어들어서 답답할 때... 마음에 안 드는 고객마저도 참 귀한 손님이라는 생각이 듦.
* 아파트에서 전에 봤던, 우편물 돌리는 아줌마 ... 참 애쓴다. 측

은함도 있지만 대단하다. 존경스럽다.

*일 마치고 돌아온 아내의 상기된 얼굴...추위 속에 있었을 아내가 안쓰럽고 눈물 남. 표현은 따로 하진 않았음.

쓰고 다시 읽어보니 내 주위에서 일어나는 일들에 대해 눈에 들어오는 것들이 많아졌다는 걸 느낀다. 예전에는 내가 하는 일과 관련된 것 말고는 거의 관심이 없었는데 경제적으로 어려워진 이후에 여태껏 미처 보지 못했던 소소한 일들이 오히려 관찰이 된다. 이어 자연스레 다른 이의 입장도 한 번 더 생각해 보게 된다.

#아내가 일하는 오전시간 동안 내가 해야 하는 일들

7:00 일어나서 국과 찌개에 가스불을 켠다. 누구보다 재빨리 밥상을 차린다.

7:40 셋째와 둘째를 깨운다.

7:55 아이들이 씻는 동안 학교준비물 챙기기- 물통, 학교제출용지에 싸인 한다.

8:10 아이들이 밥 먹기 시작한다. 그와 동시에 비타민과 과일을 챙겨준다.

8:25 셋째아이 머리를 드라이기로 말려준다.

8:35 마스크를 찾으면서 아이들이 하나 둘씩 학교를 향해 떠난다.

8:45 방에 창문들을 모두 열고 환기를 한다. 방 3개에 이불정리, 옷가지 정리

8:55 세탁기를 돌린다.

9:05 청소기를 돌린다.

9:20 화장실 청소한다.

9:40 설거지를 한다.

9:55 분리수거 한다.

10:10 기도하기

10:25 노트북으로 할 수 있는 일 처리하기- 공과금, 통신비 내기, 증빙서류 출력하기 등 등

11:00 책상에 앉아서 수업준비 혹은 글쓰기

12:30 점심준비

13:00 출근준비

　매일 아침 세 아이들 등교 준비를 하고, 식사 준비를 하고 청소를 하는 것이 만만치 않다. 가끔 숙제도 챙겨야 하고 책도 읽어주

고 머리카락, 손톱, 발톱 정리도 하고... 큰 것부터 작은 것까지 육아에는 끝이 없다. 집안일은 몸이 아플 때도 멈출 수가 없다는 것을 체험하고 나니 '아내가 이래서 그랬구나.' 새삼 아내의 심정을 이해하게 됐다.

  무심코 지나쳤던 주변의 일들 하나하나 그럴 수밖에 없었겠구나 이유가 보이기 시작했다. 불편해진 덕분에 세상을 더 넓고 자세하게 볼 수 있는 눈을 갖게 되었다. 우리는 이렇게 힘들게 겨우겨우 살고 있는데 다른 집은 도대체 어떻게 살고 있는 걸까? 선의의 관심과 누구든 도움이 필요하면 기꺼이 도우려는 준비가 되었다.

  남편인 내가 아내의 살림과 육아를 이해하게 된 것처럼 아내도 직장을 다니면서 더 남편을 이해하게 되었단다. 삶을 통해서 배우는 것은 언제나 옳다. 살림과 일을 동시에 해야 하고, 몸과 마음은 힘들고 두렵지만, 우리는 가족을 위해 온몸을 아끼지 않고 내던진다. 따뜻한 마음과 진심 어린 위로를 주고받는 남편과 아내는 서로를 보면서 감동과 용기를 얻는다. 정신적 위로를 받는다. 힘든 상황을 함께 이겨나가는 사이 서로에 대한 이해가 더 깊고 넓어졌다. 몰랐던 것을 알게 해주는 존재를 우리는 '스승'이라고 한다. 이제 둘은 서로에게 삶의 스승이 되었다.

3-2.원치 않는 상황 속에서 삶의 태도를 익히는 중입니다.

　오랫동안 힘든 일을 겪다 보니 마음에 피멍이 들었다. 가슴이 너무 아프고, 그런 상황이 싫고, 회피하고 싶은 마음이 들어 괴롭다.
　시간이 더 흐르고 그 고통 속에서 뭔가를 발견하자 멍든 상처 안에 검붉은 피는 예쁜 분홍빛과 황금빛으로 내 영혼을 물들였다.
　원치 않는 상황 속에서 어떤 태도로 갖느냐에 따라 감성적인 분홍빛과 지혜로운 황금빛으로 정신은 물든다. 고통이 있기 전에 내가 있었고, 고통은 일시적이지만 나는 순간적이지 않다.

삶은 겪어내기

　쏟아지듯 눈이 엄청 많이 온다. 이른 아침, 밤새 보일러를 아껴 켜는 바람에 거실은 차갑다. 새로 카드 배송하는 일을 하게 된 아내는 오늘도 차를 몰고 일을 하러 간다. 임시로 하는 일이라고 하지만 지난 주말에 '내가 운전수 해줄게'하고 따라가 봤더니 고생이 이만저만이 아니다. 그런데 받는 돈은 너무 야박하다. 도로가 미끄러운 오늘은 위험하기도 하고 너무 추워서 하루만이라도 쉬었으면 하는 마음이 든다.

"오늘은 하루 쉬지 그래?"
"안 돼, 약속해둔 집이 있어서"

 할당량만큼 정해진 집에 그날 배송을 하지 않으면 밀려서 한주 내내 고생이기 때문에 아무리 날씨가 험해도 결근하기는 쉽지 않다. 나는 일보다 아내의 몸이 상하지 않는 것이 더 먼저지만, 아내는 오늘 일이 안전보다 더 중요한가보다. 다른 사람과 약속을 중시하는 그녀를 더 말리진 못했다. 추위를 많이 타는 아내가 맹추위로 꽁꽁 얼어붙은 험한 겨울 세상을 향해 나간다.

'안 했으면 좋겠는데...'

아내가 일하는 오전 동안 학교 안 간 어린 아들과 마트에 가서 이것저것 장을 본다. 아내가 힘든 일을 시작한 이후로 1,000원 한 장의 의미가 달라졌다. 새로 나온 맥주라면 종류에 상관없이 싹 다 쇼핑 바구니에 담았었지만 그런 습관은 이젠 아예 없어졌다. 작은 물건 하나 사기가 조심스럽다. 귀여운 막내아들이 먹고 싶다는 음료수조차도 몇 번을 고민 고민한다. 고생하는 아내 덕분에 저절로 검소함이 내 몸에 배고 있다.

원치 않지만 아내가 일할 수밖에 없는 상황, 경제적 어려움 속에서 검소한 생활을 배우게 됐다. 또 얻은 것들은 더 커진 아내의 소중함과 아내를 대하는 태도, 더 소중해진 내 일과 일에 임하는 자세, 더 겸손해진 내 생각과 다른 사람을 배려하는 나의 태도이다. 하나하나 살면서 이런 생각과 태도가 얼마나 소중한 것들인지 확실하게 느끼는 중이다. 원치 않는 상황 속에서 삶의 태도를 확실하게 익히는 중이다.

3-3.국수공장, 아내에게 배우는 남편

 좁은 국수 공장 안에 쉴 새 없이 돌아가는 기계 앞에 아내가 있다. 입버릇처럼 돈 말고는 아쉬운 게 없다던 아내는 최근에 가깝게 지내는 후배 부부가 운영하는 국수 공장에서 아르바이트를 시작했다. 나는 그 일이 못마땅하다. 애틋한 아내가 힘만 들고 박한 급여를 받기 때문이다. 그렇지만 생활비 일부라도 벌어보겠다는데 뻔한 주머니 사정에 말릴 수도 없다. 공장에서 어떤 일을 어떻게 하는지? 자세히는 모르지만, 아내가 힘에 부치진 않을까 싶어 일을 마치고 올 때마다 항상 묻는다.
"오늘 어땠어? 힘들진 않고?"

 일을 시작한 지 몇 주가 지났다. 국수 공장에서 일하는 아내도 집에서 오전 동안 어린 막내를 돌보는 나도 오전엔 육아, 오후엔 직장에 '반반 생활'에 익숙해졌다. 아내가 일을 마치고 돌아오면 점심을 먹고 학원으로 나선다.

"짜증 나 정말!"
일을 마치고 돌아온 아내에게 늘 하던 것처럼 습관적으로 투덜댄다.

학원을 혼자 운영하다 보면 학생들 가르치는 일이나 수업과 관련된 일 말고도 공과금 내기, 세금 신고하기, 은행 업무 등 여러 가지 일들을 해치워야 한다. 혼자 감당해야 하는 이런 일들 때문에 매달 25일쯤 되면 자주 짜증을 내곤 했다.

여태 한 번도 잔소리 않던 아내가 투덜이 남편에게 오늘 한마디 한다.
"치열하게 사는 사람들에 비하면 그래도 당신은 할 만하잖아."

갑자기 그동안 일하고 돌아와서 나에게 들려줬던 공장 이야기가 시구처럼 내 머릿속을 훅 지나간다.

「국수 공장에서 기계가 돌아간다.

단 한순간도 한눈 팔 수 없다.

한 대가 멈추면 모든 기계가 멈춰야 하기에

주문된 양만큼 무슨 일이 있어도 오늘 꼭 끝내야 한다.

학교에 있는 아이에게 연락도 힘든

다른 건 신경 쓸 잠깐 틈조차 없다.

땀 흘리며 치열하게 사는 것이 무엇인지 분명히 본다.

빙글빙글 기계가 돌아간다.

국수 공장에 사람도 돌아간다.」

인생동지(人生同志)의 호통, 짧은 그 한마디에 순간적으로 멈춘다. 나는 모든 것을 받아들이는 순한 양이 된다. 지금까지 학원에서의 내 모습들을 돌아보게 한다. '내가 얼마나 힘든지? 얼마나 애쓰고 있는지?' 아내에게, 학생들에게, 학부모들에게, 다른 사람들이 알아주길 바라며 여태 '어린아이처럼 징징대고 있었구나!'라는 것을 알았다.

누구나 겪는 힘든 일이지만 엄마에게 징징대는 어린애처럼 징징대며 일을 하는 사람도 있고, 성숙한 어른으로서 힘든 가운데 어렵지만 기꺼이 겪어내며 무언가 인생의 묘미를 알아가는 사람도 있다. 모두 각자 하는 일이 다르지만, 심적으로 비슷한 크기의 어려움을 겪고 있고, 그것을 이겨내며 살아가고 있는 것이다. 어른인 체하면서 실제로는 어린아이같이 구는 내 모습을 알고 나니 부끄럽다.

누군가의 치열한 삶이 나를 돌아보게 한다. 이제부터라도 내 마음 속 어린아이는 떠나보내고 기꺼이 모든 것을 받아들이는 진짜 어른이 되어야겠다는 다짐을 해본다. '용기 있게 살아가야겠다.' 나는 오늘도 성장 중

3-4.6살 아이가 알려주는 '사랑받는 법'

6살 아이가 가지고 놀던 공룡 인형을 사진 찍고, 그림으로 그리고 글로 작업을 하는 걸 보더니 당장 지우라며 펄쩍 뛴다.
"왜 지우고 싶어?" 아빠의 물음에
"이거 책에 나오면 사람들이 책 보고 공룡이 좋아서 우리 집에 오면 어떡해? 내 공룡 가져가면 안 되는데..."
때 묻지 않은 아이의 마음이 참 예쁘다. 순수한 것은 아름답다는 걸 아이를 통해 다시 한번 느낀다. 사랑을 주고받기 위해서는 순수해야 할 것 같다.

아이에게 배우는 '사랑받는 법'

공모전이 얼마 남지 않아서 아침, 저녁이면 틈날 때마다 노트북을 켜고 거실 한쪽 두툼한 방석에 앉아 글을 쓴다. '소중한', '소중히', '소중하게', 아니 '소중하다는' … 같은 단어를 이렇게 저렇게 수도 없이 바꿔본다. 글을 쓸 때마다 누구에겐 별거 아닐지도 모르는 한 단어, 한 문장을 이렇게 썼다가 저렇게 썼다 하거나 지웠다 다시 쓰고 또 지우길 수없이 반복한다. 심지어 며칠 걸려 다 쓴 문장을 통째로 바꾸기도 한다. 이런 과정을 몇 주째 하다 보면 신경이 극도로 예민해지고 날카로워진다.

6살 막내는 여느 때와 마찬가지로 장난감을 가지고 온 집을 뛰어다닌다. 정신없어서 글을 쓸 수가 없다 싶어 살짝 짜증이 날 때쯤, 충전하려고 꽂아둔 노트북 전원 선이 아이의 발에 걸려 '툭' 뽑힌다. 지난번에도 선을 잘라먹어서 몇 십만원을 주고 수리했는데… 또 … 순간 욱하고 나도 모르게 소릴 지른다.
"야~!"

잠깐 사이 아이의 수많은 표정이 한꺼번에 눈에 들어온다.

· 당황함 · 두려움 · 혼란 · 화남 · 미움 · 실망 · 슬픔 · 힘 빠짐

뭐든지 해주는 아빠를 보는 막내의 심경을 담은 표정이 아주 낯설다. 순간적으로 아이도 당황했을 테지만 아빠인 나도 당황스럽긴 마찬가지다. 미안한 마음에
아이를 얼른 안아준다.
"미안해"하고 사과하자.
씩씩대며 아이가 말한다.
"아빠는 이제부터 내 인형이 돼!"
...
'이건 뭐지?'

어안이 벙벙한 그 사이 아이는 한마디 더 한다.
"인형은 아무 말도 안 하니까"

아이들이 인형을 좋아하는 이유를 알았다.

아이가 조심해주길 바라는 것조차 하지말자. 아주 사소한 것조차도 바라지 않고 무한히 베풀며 아낌없이 주어야한다. 아무것도 요구하지 않을 때 상대로부터 진심 어린 사랑을 받을 수 있게 된다. 오늘 막내 아이에게서 '사랑받는 법'을 제대로 배웠다.

3-5.첫째 아이 사용법

까칠한 아이

'세상에 나온 첫 아이와 첫 만남' 그 감동의 순간은 세상 처음 느끼는 엄청나게 큰 행복감이 분명하다! '행복'이란 한 단어로 그 감동을 표현하기엔 참 많이 부족하다.
갓 태어난 조그마한 생명을 안고 있을 때는 '숭고하다, 거룩하다' 는 마음이 저절로 든다. 그 순간 느껴지는 순수한 행복감은 참으로 귀하다. 조금 더 시간이 지나 속싸개에 새근새근 잠들어 있는 아기를 옆에 두고 가로누워 가만히 숨소리를 듣고 아기 냄새를 맡을 땐 또 얼마나 평화로운지.

모든 것을 엄마와 아빠에게 의지하던 조그마한 시절이 지나고

제 발로 걸어 다니기 시작하면 그 거대한 행복감은 잘 키워야 한다는 부담감으로 조금씩 변해진다.

 산고를 감수하고 낳아서 지금까지 내 손 하나 안 간 데 없이 정성을 다했기에 세상 누구보다 아이에 대해 많은 걸 알고 있다고 생각했다. 그런 내 분신 같은 아이가 사춘기에 접어들면서 던지는 날카로운 말들, 엄마 아빠에게 보여주는 짜증스러운 표정들, 참기 힘든 과격한 행동들은 모두 아이의 타고난 까칠함 때문인 줄 알았다. 자기 생각이 분명해지는 만큼 아이에게 맞추기는 더 힘들다. 이쯤되면 행복감은 이제 점점 희미해지고 짜증만 는다. "내가 다 알아서 할 거야 엄만 신경 꺼." 엄마에게 상처 주는 말을 너무 쉽게 하는 성격 강한 이 아이를 어떡하면 좋을까?

사춘기 사건

세 아이의 아빠로 살아가고 있는 대부분의 시간은 고요한 마음이 유지되지만, 중2가 된 첫째에게만은 평정심을 유지하기가 쉽지 않다. 최근에는 주로 핸드폰 사용 시간을 두고 평안과 전쟁이 오간다. 한 달째 아이는 기침을 하고 있어서 건강이 걱정되는 데다, 밤늦도록 핸드폰 들여다보고 늦잠을 자는 것 때문에 기침이 더 심해진다고 생각을 하니 그렇게 못마땅할 수가 없다.

토요일 한나절 못마땅한 마음을 꾹 누르고 '간섭하지 말자.' 되뇌었지만 바로 그다음 날 일요일마저 온종일 핸드폰만 만지는 걸 보고 결국 소리 지르며 뺏고 만다. 핸드폰을 강제로 뺏어 전원을 끄는 순간, 아이는 얼굴이 일그러지고 'ㅅㅂ'자가 들어간 짜증 섞인 단어들을 마구 뱉어낸다. 그걸 들은 나도 화가 머리끝까지 치밀어 오르고 그동안 눌러왔던 감정이 한꺼번에 터져 나와 아이에게 뭐 하는 거냐고 소리 지른다. 아이도 가만히 받아주지 않고 방문을 쾅 닫으며 벽에 대고 욕지거리를 마구 내뱉는다. 욕까지 들은 나는 이제 더 참을 수 없게 됐다. 기어이 방문을 뻥 걸어차고 들어가 미친 사람처럼 아들에게 난생처음 큰소리로 욕을 하며 아이 엉덩이를 발로 걸어찼다.

'빽'하는 순간 난 발등이 골절됐고 아이는 억울함에 닥치는 대로 때려 부수고, 욕하고, 난리가 난다. 그러다 결국 집 밖으로 뛰쳐나 갔다. 그날 밤 아주 늦게 집에 돌아오긴 했지만 다 큰 아이는 바 닥에 엎어져 엉엉 울다가 눈물콧물 범벅이 된 채 잠이 들었다.

'이게 다 무슨 일인가?'

사실, 유독 큰 아이에게만 기준이 높다. 이번 일만 그런 건 아니 다. 첫아이와 동생들 관계에서 특히 스트레스를 받는다. 첫째가 둘째에게 혹은 셋째에게 무언가 강압적으로 지시하거나 심한 잔 소리할 때면 항상 신경이 날카로워진다. 그리고 화를 내기도 한 다. 이런 상황이 반복되다 보니 첫째 아이만 늘 혼나고 사사건건 싫어하는 잔소리를 듣게 된다. 그럴 때마다 아이는 "왜 나한테만 그래?"라는 말을 자주 한다. 지금까진 대수롭지 않게 그러려니 하 고 넘어갔지만, 이번 일처럼 큰 충돌이 일어나니, 아빠인 나도 자 신을 돌아보게 된다. 내가 잘못된 걸까? 정말 편애하고 있는 걸까? 왜 첫째만 못마땅한 걸까? 왜 그 첫째만 보면 마음 편하지가 않을까? 혹시, 어릴 때 그 일이 지금에 영향을 주는 걸까? 큰아이가 동생들에게 못되게 할 때마다 어릴 때 동생에게 했던 내 모습과 같아서 견딜 수가 없는 건 아닐까? 꼬리에 꼬리를 물고 스스로에게 묻는다.

꼬리를 문 질문 끝에 드러난 기억과 갈등

어릴 땐 아버지 얼굴을 잘 볼 수가 없었다. 낮과 밤 시간을 가리지 않고 어디론가 마실 나가셨다. 엄마는 양장점 일로 늘 바빴다. 온종일 동생과 놀다가 저녁이 돼서 더 놀 거리가 없어지면 엄마의 일터인 양장점으로, 2층에서 1층으로 내려가곤 했다. 옷가지들이 복잡하게 늘어진 양장점 한쪽 소파에서 키가 1m도 안 되는 어린아이였던 우리는 엄마 일이 끝나길 기다린다. 하지만 일은 끝날 줄을 모르고 꼭 끝내겠다고 약속한 시간은 자꾸만 뒤로 미뤄진다. 동생과 나는 지루하다 싶을 때마다 반복해서 묻는다.

"언제 끝나?"
돌아오는 대답은 매번 "곧 끝나~ 거의 다 됐어~"이다.

 기다리고 기다리다 지친다. 울음보를 터뜨리면 차라리 나을 것을 어린 마음이지만 엄마에게 짐이 되지 않으려고 참고 또 참는다. 모두 마감을 위해 아무도 눈치채지 못한 사이 긴 시간 동안 참았던 어린 나는 숨이 막혀 까무러친다. 정말 기절했다. 그때 깜짝 놀라서 모두 쓰러진 아이를 둘러서서 지켜봤지만, 그 순간이 내 마음에 그렇게 깊이 상처를 새겨뒀을 거라고는 아무도 몰랐다. 이렇게 많은 시간이 지나도 기억이 절대 그냥 소멸되지 않는다는 것을 그땐 아는 사람은 없었다.

 부모에게서 충분히 받지 못한 관심, 더 사랑받고 싶은 갈망이 만든 그 부정의 에너지는 어느새 엉뚱한 방향으로 발산을 시작한다. 가장 가까이 있고, 내가 마음대로 할 수 있는 대상. 바로 동생을 향한 폭력으로 말이다. 보통 땐 같이 잘 놀지만, 하루에 한 번 이

상은 동생을 어떤 식으로든 괴롭힌다. 온갖 폭력을 다 쓴다. 엄마에게 관심받지 못한 그 깊은 분이 풀릴 때까지, 마치 작은 성 안에서 야수 같은 주인이 오갈 데 없는 노예를 막 다루는 듯이 동생을 괴롭혔다. 그때마다 당하는 동생은 몸과 마음에 상처를 받았을 테고 가해자인 형 역시 어쩌면 다른 형태로 그만큼의 상처와 그보다 더 큰 죄책감을 몸에 잔뜩 각인했을지 모른다.

사용법, 지금 여기에 살기!

동생은 지금 세상에 없다. 20대 후반에 호주 유학 중에 사고를 당해 다시는 볼 수 없다. 살아있다면, 그 어릴 때 삐뚤어진 화풀이에 대한 사과를 진심을 담아 수없이 했을 것이다. 살아만 있다면 다른 어떤 방법으로 보상을 할 수 있을 텐데. 사과할 수 없다는 그 사실이 미안함을 무한으로 증폭시킨다.

내 마음속에 내재한 이 모든 불행의 에너지들이 지금 첫째에게 투사된다. 아이가 동생들에게 함부로 대하는 장면을 볼 때마다 나를 참을 수 없는 감정이 올라온다.

'너는 나처럼 그러면 안 돼!'하고 첫째 아이에게 전하려고 하나보다. 물론 이 문제가 첫째와의 관계에서 사사건건 모두 해당하는 건 아니겠지만 갈등의 출발점이라는 생각이 든다.

내 마음이 어떻게 움직이고 있는지? 찬찬히 들여다본다. 아이에게 미안한 마음이 든다. 첫째에게 그런다고 돌아올 수 없는 동생에게 미안한 마음이 사라지는 것도 아닌데, '첫째 아이는 확실히 내가 아니다.'라고 몇 번이고 되뇐다. 차츰 마음이 가라앉는다. 며칠이 지나 첫째에게 어떻게 사과해야 할지, 무엇을 해야 아이의 마음을 풀 수 있을지, 어떻게 하면 아이에게, 나에게도 다시는 그런 마음이 들지 않을 수 있을지? 방법을 고민 해본다.

아직 방법은 잘 모르겠지만 내 마음이 평안해지면 말과 행동이 부드러워지고 아이를 보는 눈길도 따스해질 거라 믿는다. '문제의 원인을 정확하게 아는 것만으로도 문제가 해결된다.'는 사실을 믿는다. '이게 아니면 어떡하지?'하고 불쑥 올라오는 불안한 마음은 그때그때 즉시 거부하고, 아이를 어떻게 하려고 하지도 말고, 마음이 불편할 때마다 찬찬히 내 마음에서 일어났었던 감정들과 지금 일어나고 있는 감정을 살펴보고 있다.

'나는 이러 이러한 사람이다.', '내 생각엔~하다.', '나는 ~ 라고 생각한다.', '내 의견은 ~에 동의한다.'라고 나 자신을 드러내야 할 상황이 되면 생각을 말한다. 하지만 곰곰이 따져보면 자연스레 주장하는 '나'라는 생각들은 어디서 오는 걸까? 정말 '오롯이 내 생각이다.'라고 할 만한 것이 있을까? 내가 주장하는 것들의 대부분은 기억들과 경험들을 포함해서 따져보기 어려울 만큼 많은 것들의 영향을 받은 결과물이다. 그 기억들은 아주 어릴 때부터 지금까지 부모님으로부터, 영향을 받은 사람들로부터, 사회 전반의 흐름으로부터 받은 영향들을 포함하고 있다. 그중엔 그때 그랬지만 지금은 아닌 것들과 기억되었지만 오류인 것들이 잔뜩 있다. 예전엔 긍정이었던 것들이 지금은 그렇지 않은 경우도 많기 때문에 과거에 뿌리를 둔 그 모든 것들이 옳다고 할 수 없다. 과거가 어쨌든 지금 현재가 중요하다.

기억 속 '동생을 사랑했었다.'
지금 여기 '첫째 아이를 사랑한다.'

전에 실수들을 지금 다시 반복할까봐 두려운 마음이 첫째 아이를 불편하게 보는 걸림돌이 되었다. 잘못됐다. 오랫동안 마음속 깊이 숨겨진 죄책감의 감정 때문에 사랑하는 아이를 향해 부정적인 에너지를 쏟아냈다. 내가 정말 원하는 것은 아이가 몸과 마음이 건강하게 자라는 것, 평온하게 잘 성장하는 것이 전부다. 과거와 연결시켜 전전긍긍할 이유가 전혀 없다.
그냥 아이가 지금 상태로 있기만 해도 좋다. 나에게 주문을 건다. '아무것도 잘못되지 않는다. 다 괜찮다.' 내가 나에게 바란다. 첫째 아이와 좋은 사이로 사랑하며 살아가길...

잘못 될까봐 하는 모든 걱정을 당장 멈추자! '아니야!'하고 거부하자. 그리고 옳다고 생각하는 것을 지금 당장 하자. 잘못된 것을 알았다면 미루지 말고 지금 당장 사과하자. 지금 이 순간 밖에 없다. 지금 현재 여기에 살자!

4.삶을 대하는 태도

4.삶을 대하는 태도

4-1.사람은 무엇으로 사는가?

상담실에 오랜만에 속초에서 부부손님이 찾아왔다. 새해 선물을 양손에 한가득 준비해왔다. 얼굴엔 연신 미소를 띤 채 한 시간 넘게 얘기 나누고 있다. 깊은 향 그윽한 커피를 진하게 내리고 조그만 난로 옆에 앉았다. 추위가 매서운 겨울날이라 차가워진 유리잔에 담긴 뜨거운 커피를 마신다. 요즘 사는 이야기, 일하면서 생긴 힘든 점에 관해 이야기 나눈다. 마트 하청 직원으로 일하다 보니 이런저런 허드렛일까지 해야 해서 허리가 아프다는 이야기부터 불공평한 대우와 무시당한 이야기까지 온갖 하소연을 꺼내 놓는다. 시간이 지나자 이야기 주제는 자연스레 아들 이야기로 넘어간다. "아들이 군대 입대 신청했는데, 대기자가 많아서 한참 밀려있어요. 얼른 입대해야 할 텐데 걱정이에요. 군 생활하고 와야 철이 들 텐데... 군에서 생활을 잘할지 걱정이네요.... 제대하면 직장을 제대로 잡을 수 있을지..." 걱정이 꼬리에 꼬리를 물고 이어진다. 처음 미소 띤 표정은 시간이 갈수록 걱정의 높이만큼 어두운 낯빛으로 변하고 있다.

옆에서 듣고 만 있던 남편이 다독인답시고 계속해서 아들이 왜 그런지 논리적인 말투로 설명하고 있다. 틀린 말을 하는 건 아니지만 위로가 필요한 아내에게 도움이 될 리 없다. 남편의 이야기를 듣는 둥 마는 둥 하는 그녀 아직 남은 약간의 미소를 내지만 근심이 가득해 보인다.

우리는 태어나서 어린 시절에 마음껏 놀면서 대부분 시간을 보낸다. 그러다 학교에 들어가면서부터 무엇을 위해서 하는지도 모른 채 공부를 하며 보내고 20대가 되면 꼭 원하는 일이 아니라도 직업을 가진다. 여기까지는 나를 중심으로 모든 것을 생각하고 판단하며 결정한다. 그러다가 각각이었던 한 남자와 한 여자가 만나서 결혼하고, 아이 낳고, 아이를 잘 키우려 애쓰면서 함께 나이 들어가는 삶에 놓이면 가족을 우선으로 놓고 판단하고 결정하게 된다. 결혼을 기점으로 나를 위해 사는 시기와 가족을 위해 사는 시기로 나뉜다. 행복의 목적은 누구의 행복인가 하는 지향점 자체가 달라진다.

아이가 점점 커갈수록 부족함 없이 키우기 위해 부모는 불편하더라도, 보수가 적더라도, 힘든 일이라도 기꺼이 감수하게 된다. 대부분의 부모들은 아이를 위해 애쓰고 고생하면서도 부족한 것이 없는지 늘 걱정 가득이다. 이런 걱정은 아이가 스스로를 책임질 만큼 충분히 자라서도 계속되고, 나이가 많이 들어도 여전히 계속된다. 끝이 없다.

힘들어하면서도 왜 우리는 아등바등 가족을 위해 살아가는 걸까? 무엇이 삶을 한 방향으로 이어가게 하는 걸까? 부모도 부모이기 전에 한 인간이다. 사람의 마음은 내가 한 행위에 대가를 바라는 것이 기본적인 작용이다. 내가 해준 것보다 더 크게 뭔가를 해주면 고맙고 미안하고, 내가 해 준만큼 상대도 해주면 섭섭하지 않고 내가 해준 것보다 훨씬 적게 돌아오면 화가 나고 상대가 미워지기 마련이다. 내가 이만큼 하면 상대도 그 이상 해주기를 바라는 것이 보통의 인간관계에서 일어난다.

이런 기본 인간 마음의 원칙을 뛰어넘는 것이 부모의 사랑이다. 아이를 잘 양육해야 한다는 본능적인 마음은 그것 외에 다른 방향을 생각할 여유를 허락하지 않는다. 나보다 아이를 먼저 생각하고 아이를 잘 키우기 위해 삶을 함부로 하지 않는 것, 대가를 바라지 않는 순수한 마음으로 하는 일은 존귀할 수밖에 없다.

부모가 베풀어 준 이 순수한 사랑의 에너지는 아이가 다른 사람을 소중하게 여기며 누군가를 위해 무엇이든 할 수 있는 힘과 열정을 불러일으키기는 자원으로 쓰인다. 또 누군가를 사랑하게 되면 사랑하는 그 사람을 넘어서 자신의 그런 마음과 행동으로 인해 스스로에 대한 자부심과 성취감을 높여준다.

또 매 순간 긴장과 투쟁의 연속인 인간관계의 고통에서 부모에게 받은 사랑의 마음은 이러한 것들에 능가하는 힘이 있다. 서로를 이해하고, 지지하고, 더 나은 세상을 만들기 위해 노력해나가며 강력한 힘을 발휘한다.

현실의 차가운 삶 속에 뜨거운 사랑의 마음을 품은 부모는 그래서 귀한 사람이다. 부모의 책임감 속에는 사랑이 녹아있다. 우리는 그 사랑의 마음으로 살아간다. 나는 다짐한다. '아무것도 바라지 않고 따지지 않는 마음으로 아이를 돌보는 부모가 되자.', '사랑의 에너지를 주신 부모님에게 감사하자.'

4-2.지푸라기라도 잡고 싶을 때, 나는 인생복권이 되었다.

 뭔가 바라는 마음이 간절하거나 아무리 해결하려 해도 방법이 더 떠오르지 않을 땐 아니다 싶으면서도 '뜻밖의 행운이 오지 않을까?' 하는 내밀한 기대를 하게 된다. 지난밤 비둘기가 집 안으로 들어와 이방 저방, 거실 여기저기를 돌아다니는 꿈을 꾸었다. 일어나 오전 내내 인터넷에 떠도는 해몽들을 찾아본다. 좋은 징조라는 꿈 풀이가 대부분이다. 뭔가 마음이 놓이면서 기분도 좋아진다. 그동안 고민해 오던 문제들이 한순간에 풀릴 것 같은 기대감이 피어오른다.

 요즘 들어서 되는 일이 없다 싶어 답답함만 쌓이는 시간이 길어지다 보니, 작은 희망이라도 기대를 가지고 자꾸만 요행을 바라게 된다. 반대로 사소한 불운에 대해서는 예전보다 더 예민한 반응이 나온다. 이 모든 흐름은 '어쩔 수 없는 내 마음속 나약함' 때문이겠지.

오늘 좋은 꿈도 꿨겠다. 복권 한 장 사러 간다. 보통 때라면 복권 살 때마다, 복권 판매소 앞까지 갔다가도 사람들이 보는 시선이 민망해서 돌아오곤 했지만, 오늘만큼은 틀림없이 된다 싶은 마음에 망설임 없이 호기롭게 몇 장 사서 지갑에 고이고이 넣어 둔다. 한 주가 지날 때마다 꺼내 보거나 힘들 때마다 보면서 한동안 개봉하지 않을 작정이다. 왜냐고? 복권 당첨만 생각하면 힘이 나니까. 더 기댈 곳이 없을 땐 마지막으로 꺼낼 수 있는 희망의 히든카드 같은 느낌이다.

며칠이 지났다. 오늘은 나름 특별한 날, 그동안 귀하게 모셔왔던 복권을 드디어 개봉한다. 하나씩 차례로 조심스레 열어봤지만, 모두 꽝! 하나도 된 것이 없다. 그동안 키워왔던 부푼 기대는 순식간에 허망함으로 끝이 났다. 아무 일도 일어나지 않았다.

'에이, 안 되네, 아이고, 나 참~'
'이제 어떻게 하지?'

허탈한 한숨만 나온다.

기대할 땐 좋았지만 지금 이 순간 '고통과 쾌락은 늘 함께 간다.'는 문구의 의미를 온몸으로 절절히 느낀다. 마음이 약해졌을 때 '복권에 당첨됐으면'하는 들뜬 기대가 얼마 못 가 실망스럽게 끝났고, 희망이 없어진 지금, 복권을 사기 전보다 몇 배로 더 고통스러운 상태에 놓였다. 나이가 들수록 저절로 지혜로워질 것 같지만 기대와 실망을 계속 반복하는 이런 습관은 하나도 달라지지 않았다. 생각만 많아지고 실천은 없다. 머뭇거림도 잦아진다.

왜 그럴까?

인생 문제 해결의 모든 열쇠는 나에 대한 확신이다. 확신이 있냐 없냐에 따라 결정과 행동이 달라진다. 당장은 어렵더라도 잘 된다는 믿음, 잘 해낼 수 있다는 확신이 있다면 요행을 바라지는 않았을 텐데. 나 자신을 믿지 못하는 마음이 현실을 직시하지 못하고 눈에 보이지 않는 미지의 무언가에 기대는 행위로 이어지게 한다. 현실적으로 해결할 수 있는 것은 하나씩 해결해나가고 해결할 수 없는 것은 과감하게 포기하면서 현실적인 대처가 있어야 아무리 큰 문제들도 조금씩 해결의 가능성이 보이는 건데 미련하게 아쉬워서 포기 못하고 정리하는 적절한 시기를 놓치는 바람에 문제는 더 커지고 또 미루고 괴로워하는 악순환을 계속하는 것이다.

  실망감이 너무 커서 도저히 그냥은 안 되겠다. 미술치료를 공부한 내가 할 수 있는 방법은 내 마음속에 있는 나약함을 객관적으로 대면하는 것, 꿈에 나온 비둘기를 그려본다. 실체 없는 우연한 행운을 바라는 내 약한 마음의 표상인 이 비둘기! 나약한 내 안에 못난 마음을 그리는 중이다. 한참을 그리다 보면 이런저런 복잡했던 마음에서 잠시 멀어지게 되고 그 자체로도 마음이 가벼워진다. 그래서 그림이 좋다. 이제 다 그렸다. 감상을 해본다. '꽤 잘 그렸는데.' 풋 하고 웃음이 나온다. 그림 감상의 느낌도 써보고 이런저런 생각나는 것들을 낙서하듯이 써본다. 꿈에 대한 기억들, 추억들, 연관된 사람들까지 막 쓰다 보면 나의 무의식이 담긴 것이 글에 드러난다. 이런 작업을 오래 하다 보니 써진 글들과 그림을 보면 '아하!'하고 담긴 메시지를 이해할 수 있게 되었다. 비둘기 그림과 글을 충분히 탐색하고 숙고한 뒤에 마지막에 내게 남은 것은 이런 문장이다.

'잘난 것도 나고 못난 것도 나다.' 못난 그 마음을 살짝 끌어안아 본다. '얼마나 힘들었으면...'

지금 상황이 너무 힘들다고 생각했던 마음과 우연과 요행을 바라던 마음이 동시에 와장창 깨지고 나니 갑자기 정신이 번쩍 들었다. '믿을 건 나밖에 없구나.'

다시 정신을 부여잡고 '나를 믿고 실수를 겁내지 말자.'를 되뇐다. 주문을 걸 듯이 자꾸자꾸 반복하다 보니 갑자기 내가 그린 이 비둘기가 아름답다는 느낌이 든다. 비둘기가 아름다워 보이는 것은 어쩌면 내 안에 나약함만 있는 것이 아니라 신성함도 있다고 믿고 싶어서이다. 비둘기 해몽을 믿는 대신 지푸라기라도 잡고 싶은 심정으로 나의 신성함이 곧 발현될 것을 믿어보기로 한다. 지금 내 몸과 마음은 약해져 있지만, 태어날 때 신성함으로부터 출발한 것은 분명하니까 근원적인 신성함 안에 내가 있고 그런 내가 바로 희망카드라 생각하련다.

'나 자신이 인생의 복권이다!'라고 크게 세 번 외쳐본다.

나는 그렇게 인생 복권이 되었다.

4-3.자꾸 미루게 되는 이유를 알면 성장이 온다.

 사소한 선택부터 중요한 선택까지 인생은 늘 선택의 연속이다. 그런 선택들 중에는 큰 결단을 내려야 할 중요한 순간도 있다. 선택이 옳았는지? 잘못된 길로 가고 있는지? 구분할 수 있다면 내 삶의 방식에 자신감을 갖고 살아갈 수 있지만 그렇지 못하다면 '다른 사람이 어떻게 생각할까? 안전할까? 결과가 좋지 않으면 어떻게 하지?'하는 이런저런 생각들로 머릿속이 복잡해진다. 분명한 결정을 못 하고 망설임이 쌓이다 보면 결국 온전히 내 뜻대로 살지 못했다는 후회가 남게 된다.

 큰 결정일수록 내가 원하는 것에 대한 명확한 이해와 결단의 큰 용기가 필요하다. 내가 선택한 길이 올바른 방향으로 가고 있는지 알고 싶다면 이 부분을 점검해 보자. 하고자 하는 일이 하면 할수록 점점 더 분명해지고 있는지? 일을 해나가면 갈수록 점점 더 단순해지고 있는지? 이 질문에 "네"라면 올바른 방향으로 가고 있는 것이 분명하다. 어떤 걸 해야겠다는 확신이 있을 때 마음이 단단해지고 이어서 좋은 행동이 나온다. 의도가 좋은 일에 '해야 겠다.'싶은 마음이 생기면 가차 없이 고귀한 결단의 칼날을 휘둘러 단박에 두려움, 망설임의 마음을 두 동강 내야 한다. 그런 용기야말로 내 인생을 사랑하는 방법이다.

자꾸 미루게 되는 이유

대학 다니는 내내 나는 성장을 위해 집중하기는커녕 멍한 시간만 보낸 것 같다. 그런 시간마저도 다음을 준비하는 데 필요한 부분이었다고 억지로 위안할 수도 있겠지만 나 자신에게 온전히 집중하지 못하고 표류했던 시간이 분명하다. 망망대해를 떠다니던 그때도 그림에 대한 동경이 있어서 친구 만나러 Y대학 미술학과 작업실 안에 들어갈 때면 그 공간 자체가 주는 설렘이 있었다. 팔레트에 묻은 물감이 너무 아름다웠고 펼쳐놓은 커다란 캔버스 사이로 걸어갈 때면 어떤 곳보다 더 멋지다고 생각했다. 그런 공간에서 그림 작업해 보고 싶다는 욕망도 일었다. 하지만 동경만 했지 그림을 그리기 위한 어떤 행동도 실제로 하지는 않았다. 돌아보면, 그 순간이야말로 '인생의 격밀(密激)한 기회(機會)'가 될 수 있었다.

'매력적이다, 한번 해보고 싶다, 해야겠다.' 이런 가슴 뛰는 일은 일생에 자주 오는 일은 아니다. 가슴이 뛴다는 것은 저 깊은 내면에서 '그것이 옳은 방향이야!'라고 알려주는 신호인데 그 신호에 귀 기울이지 않고 '내가 해도 될까?, 너무 늦진 않은 걸까?' 이런 저런 부정적인 생각, 현실적 부분을 이리 재고 저리재고, 이 사람 저 사람에게 묻다 보면 어느새 내면의 신호에 차츰 소홀해진다.

*격밀한 기회(密激한 機會) : 감정이 격렬하게 올라오고, 머릿속이 온통 그 생각들로 촘촘히 가득차서 그 일을 할 수 밖에 없도록 만드는 상황, 그 순간이 재능을 발전시키는 하나의 기회가 된다는 의미로 작가가 만든 단어이다.

그것은 마치 명동 한복판에서 친구가 나를 찾느라 애타게 소리쳐 부르지만 내주변의 잡다한 볼거리에 정신이 팔려 정작 소중한 사람은 알아보지 못하는 것처럼 별거 아닌 것들 때문에 소중한 것을 놓칠 수도 있다.

그때나 지금이나 수많은 선택의 사건들이 내게 오고 가지만 사건을 대하는 기본적인 태도는 여전히 '안전함, 안주함'에 집중되어 있다. 그러다 보니, 정말 해보고 싶어도 성공적인 결과가 보장되지 않으면 시작조차 하지 않는다. 반대로 하고 있는 일들도 정말 원하는 일이 아닐 땐 미적미적 자꾸만 미루게 된다. 진정으로 원하는 것을 선택하는 습관이 안 되어 있고 선택의 순간에 확신이 없다보니 미루는 일들이 많아지고 주변 사람들뿐 아니라 나 자신조차도 게으른 사람이란 생각마저 든다. 결국 나는 부족한 사람이 되고 만다.

성장하는 삶을 위해서 이 연결고리를 끊어야 한다. 미루는 마음이 생길 때마다 '정말 내가 원하는 것은 무엇인지? 따져보는 시간을 가져야 한다. 될지 안 될지는 따질 필요가 없다. 하고 싶은 일은 일단 시작하고 그 일에 집중이 되는지? 아닌지를 살펴보면 계속해야 할지? 그만둬야 할지? 스스로 판단할 수 있다.

대학 시절처럼 내게 다시 그런 기회가 온다면, 지금은 아무것도 따지지 않고 뒤도 돌아보지 않고 과감히 뛰어 들것이다. 소중한 선택의 시간은 다시 되돌릴 수 없다는 것을 알기에 말이다. 일을 선택하기 전 모두가 하는 질문 '돈을 많이 벌 수 있을까?'이다. 내 답은 '아니, 돈은 목적이 될 수 없다.' 더 중요한 질문은 '만족스러운 그 일을 통해 성장할 수 있는가?'이다. 그 대답에 '예스'라면 하지 않을 이유가 없다.

무엇보다 결론적으로 지금 나는 그림을 그리고 있다. 돌아 돌아왔지만 결국 욕망하던 그 일을 하고 있다. 한번 욕망한 것은 언젠가 꼭 하게 된다. 그래서 결국하게 될 일이라면 지금 당장 시작하는 것이 좋지 않을까? 시작의 용기를 내는 것은 내 시간을 소중히 하는 것이며, 내 삶에 대한 사랑이 된다.

4-4.조각달을 보며 알게 된 삶의 목적

퇴근길, 집에 거의 다다르자 3동과 4동 사이에 노란 쪽달이 눈에 들어온다. 어두운 청록색에 짙은 보라색이 들어간 초저녁 하늘 배경에 네모 상자 같은 아파트 동들이 총총 서있다. 그 네모상자 안에 네모난 창들은 가족들이 옹기종기 모여 하얀, 노랑 불빛을 내뿜는다. 온통 네모들 사이로 노란 조각달이 빼꼼 나왔다. '낮에 깎았던 막내 아이 손톱 한 조각이 저기 튀었나?' 아파트 풍경이 참 예쁘다.

평범한 일상 안에 숨 쉬는 순간순간 눈길 닿는 곳곳이 아름다움으로 가득하다. 하늘을 보고 그 풍경에 감동을 받거나 포근함을 느낀다면, 그것은 우리 내면에 존재하는 예쁜 본성이 자연의 아름다움과 일치되는 순간이며 직관과 감성이 만나는 창조적 연결의 순간이다.

　우리는 살기 바쁘다는 핑계로 아름다움엔 관심을 두지 않는다. 사는 게 참 쉽지가 않아서 일까? 온종일 이럴까? 저럴까? 고민하고 또 이런 고민 저런 고민하면서도 이게 맞나? 저게 맞나? 망설이고, 후회하다 보면, 해가 질 무렵 몸과 정신에 에너지가 몽땅 빠져나가 버린다. 일은 해도 해도 끝이 없고, 가끔 좋을 때도 있지만, 일하는 동안 내내 애쓰고 머리를 쥐어짜다 보니 힘들고 지친 끝에 도대체 '무엇을 위해 사는 걸까?'하는 생각마저 든다.

　나의 금요일, 해야 할 일이 다 마무리된 건 아니지만 여기서 멈추지 않으면 쓰러질지도 모른다는 위기감에 혼이 빠진 사람처럼 사무실 불을 끄고 일과를 끝냈다. 멍한 채 터벅터벅 걷는 퇴근길,

지친 발걸음으로 집을 향해 간다. 넋 나간 모습으로 한참 걷다
보니 저기 집이 보인다. 어두운 밤길, 디딤돌을 밟고 고개를 들자
걷는 동안은 몰랐는데 아파트 초입에 가로등과 가로등 사이 새까
만 밤하늘에 뜬 쪽달이 눈에 들어온다.

'와~ 너무 예쁘다, 어쩜 저리 예쁠 수가 있지?'
내가 좋아하는 저 달, 아내도 좋아라하는 쪽달, 애들을 잘 키우기
위해, 미래를 위해, 돈을 벌기 위해, 목적을 쫓아 늘 달리고 달리
지만, 이 순간만큼은 복잡했던 생각을 잠깐 멈추고 어릴 적부터
좋아했던, 지금도 좋아하는 저 달의 정취에 흠뻑 빠져본다. 그리
고 큰 숨 한번 한껏 깊이 들이마신다. 폐에 맑은 공기가 차오르니
머리가 한결 가벼워진다. 잠깐 내 머릿속 회색 인생은 멈추고 희
망의 노란색 백열전구 불이 반짝하고 들어온 것 같다.

... '휴~'
'그래'

...

'뭐~ 인생이 다 그렇지.'
'사는데 목적이 뭐 그리 중요하냐!'

그리곤 다시 집으로 향한다. 나는 그냥 삶과 함께 흘러가기로 한다. 인생 사는데 이유가 꼭 있을 필요는 없다. 지금, 이 순간을 살아내는 것 그 자체가 유일한 삶의 목적이다.

4-5.무거워진 마음 사이로 비치는 행복

이른 아침 창밖을 보니 눈이 많이 왔다. 밤새 내린 눈이 온 도시를 꽝꽝 얼려버렸다. 기온은 영하10도 아래로 떨어져 길은 미끄럽고 걷기도 힘든 날씨지만 택배차는 365일 하루도 빠짐없이 배달한다. 오늘도 베란다 넘어 택배차가 보인다. 차에서 물건을 내렸다 올렸다를 수없이 반복하며 이집 저집을 왔다 갔다 분주하다. 차에서 물건을 꺼내고 닫을 때마다 '탕'하는 쇳소리가 난다. 그걸 지켜보는 내 눈엔 쇳덩어리 문짝도 단단하지만 그보다 집배원의 얼음장같이 차가워진 손, 단련된 억센 팔뚝 그리고 가정을 지키려는 책임감으로 똘똘 뭉친 그의 마음이 더 단단해 보인다.

삶의 무게가 무겁다고 느껴질 때

0부터 네 자리 숫자까지만 찍히는 통장 상태가 계속되면서 가슴

짠한 순간들은 많아졌다. 6살배기 어린 아들이 사무실로 전화를 걸어와 초콜릿 케이크가 먹고 싶다며 귀여운 목소리로 꼭 사 오란다. 전화를 끊자마자 내일까지 결제해야 할 금액과 지갑 속에 있는 돈부터 확인부터 한다. 신용카드는 쓸 수가 없고 현금만 써야 하는 상황이다. '얼마나 있지?' 얇아진 지갑 속에는 보이는 것이 몇 장 없다. 꼭 해야 한다 싶은 일이 생겼을 때 그걸 해낼 수 있는 자원이 없는 상황은 내 마음을 무겁게 한다. 이러지도 못하고 저러지도 못하는 상황에 놓일 때마다 삶의 무게가 무겁다.

 밤늦은 퇴근길, 빵집에 들러서 적당한 케이크를 둘러본다. '이건 너무 큰데, 비싸다, 그래도 이건 너무 작다...' 아무리 돈이 없어도 너무 조그마한 케이크는 사기가 싫다. 내가 먹는 거라면 몰라도 사랑하는 막내아이에게 줄 거니까. 제일 작은 거 다음으로 큰 것의 가격을 살펴본다. 조금만 더 컸으면 좋겠지만, 쓸 수 있는 돈에 맞춰서 겨우 하나를 골랐다. 몇 만원도 안 되는 걸로 고민하는 나, 사실 이것도 무리해서 사는 거지만 아무튼 케이크를 포장해서 집으로 향한다. 빵 가게에서 나와 횡단보도 신호를 기다리면서 큰 숨이 절로 나온다.

" 휴~"'이 작은 거라도 사 줄 수 있어 정말 다행이야.' 안도가 포함된 숨이다.

온종일 온갖 걱정들로부터 시작해서 케이크 고를 때까지 무거운 발걸음이었지만 가게 문을 열고 나오자 신호등 불빛이 바뀌듯 갑자기 기분이 밝아진다. 곧 보게 될 활짝 웃는 아이 얼굴을 떠올리면서 금세 다시 발걸음이 가벼워져 뛰는 듯 걷는다.

집에 들어서자 가장 먼저 막내가 "아빠다."하면서 달려 나와 점프, 와락 안긴다. 코로 들어오는 아이의 향기, 온몸에 전해지는 작고 포근한 녀석의 촉감. 하루의 피로가 순식간에 씻긴다.

아내와 아이 셋과 나까지 모두 다섯 식구가 작은 케이크 하나를 하나 놓고 둘러앉아 맛있게 먹는다. 아이들 먹는 모습이 예쁘다.

파티는 순간 삭제, 폭죽놀이처럼 금세 끝나버렸다. 아무래도 양은 너무 적었다. 마음이 좀 짠하지만 그런 쪼글쪼글한 마음보단 행복감이 훨씬 더 크다. 경제적으로 어려운 상황이 계속 반복되는 만큼 마음은 오히려 더 단단해지나 보다.

불안한 마음으로 가득한 요즘이지만 오늘같이 손바닥 크기만 한 작은 케이크로 아이와 행복을 나눌 수 있음에 감사하다. 인생이 뜻대로 되지 않는 괴로움의 연속이라고 했던가? 괴로움 사이사이에 매 순간 따스한 감정을 느낄 수 있음에 감사하다. 수입이 많고 바쁠 땐 일 말고는 아예 관심도 없었지만 뜻대로 뭔가가 잘 안되고 부족함의 연속인 가운데 오히려 사소한 것으로도 감정이 애틋해지다니. 삶은 참 놀랍다.

이 이야기를 정리하면서 이런 생각을 해본다. '살면서 주어진 순간의 감정이 아무리 힘든 것일지라도 그와 함께 반드시 긍정적인 면도 있다.' 행복감이 드는 일은 그 자체로 좋지만 그렇지 않은 것들에도 그와 딱 달라붙어있는 또 다른 면에 긍정의 의미가 있다. 무거운 마음사이로 비치는 행복이 있다. 어떤 일이든 싫다고 거부하지 말고 그 속에 긍정적인 것은 무엇인지 잘 살피고 이해하는 것이 받아들이는 좋은 삶이 된다.

크게 숨을 한번 들이마시고 바깥을 본다. 밤새 쏟아지듯 눈이 내렸고. 아침 해가 산 너머에서 올라오면서 하얀 눈이 소복 쌓인 풍경이 창밖으로 선명하게 보인다. 눈은 내렸을 뿐이고 눈이 쓸린 도로와 아직 쌓인 채 보이는 풍경은 뒤섞여있지만, 아직 깨끗하게 쌓인 눈은 눈대로, 흙먼지에 거뭇해진 눈은 눈대로 서로 뒤섞인 거리 모습 그 자체로 아름답다. 아름다운 풍경은 그냥 바라보고 감동이 오는 것을 느낄 뿐이다. 무엇이든 주어진 대로 삶과 더불어 흐르면서 무엇이든 느끼고 고마워하며 마음의 흔들림 없이 바라본다. 그리고 더 단단해진 나는 그냥 해야 할 만큼 움직여 나갈 뿐이다.

4-6.예술과 함께 성장하기

예술이란?

 살면서 감동과 위로감 그리고 성장의 느낌을 느낄 때마다 나는 그림으로 표현한다. 그 감동을 오래 간직하고 싶어서라기보다 단지 표현하고 싶어서인데 '왜 그걸 굳이 표현하고 싶은가?'라고 물어본다면 사실은 모른다. 그냥 본능적으로 그리고 싶다는 욕구가 올라온다. 심리 그림을 그리기 전에도 그런 욕구가 없었던 건 아니었지만 그땐 느낌이 와도 그냥 무시하거나 외면했다. 지금은 그런 욕구를 잘 관찰하고 표현하는 데 더 허용적이고 자유롭다. 그런 나를 보면 확실히 여유가 생겼다고 말할 수 있겠다.

 원고를 마감할 즈음이었다. 아파트 바로 옆 동산에 나무 가지 사이로 둥근달이 숨어 있더니 어느새 동산 꼭대기 위로 올라가 있다. 설명할 수 없는 감동이 올라온다. 나무가 사람들이라면 둥근달은 우리가 소망하는 것들이 담긴 빛 같다는 생각을 했다. 우리들 마음속에 있던 그 소망이 마침내 하늘로 날아올라 온 세상을 비추는 모습 같다는 상상을 하자. 그 장면이 얼마나 감동을 주는지 정말 너무 아름다웠다.

 얼른 종이를 꺼내 인생의 순환 주기를 상징하는 12그루의 나무를 그렸다. 삶 속에 우뚝 서 있는 우리 자신의 모습 같아서 그리는 내내 좋았던 것, 힘들었던 것까지 지난 기억들이 새록새록 올라온다. 아무것도 칠하지 않은 흰 종이와 구별이 안 되는 흰색 물감은 어떻게든 잘 살아보려고 애쓰고 노력하느라 몸과 마음의 에너지를 다 써버려서 기운이 하나도 없음을 표현한다. 그런 가운데에도 나다운 삶을 살기 위해 현실과 이상 사이에서 균형을 잡으려고 애쓴다. 밤은 깊어가고 달이 비치자 낮 동안 초록이던 잎사귀들은 어느새 은빛으로 바뀌었다. 풍요로움을 상징하는 은빛 달은 소망과 희망의 표상이다. 달은 나무를 비추고, 나무는 그런 달을 보고 위로받는 가운데 나무와 달은 서로가 같은 색으로 닮아

간다. 우리 삶은 예술작품으로 표현되고, 그 예술품을 보는 우리
는 작품 속에서 자신의 모습을 발견하며 위로받는, 삶과 예술은
서로 그런 관계다.

아내와 나눈 예술

 오늘 아침은 아내가 상담을 요청한다. 상담 원칙에는 가족처럼
가까운 사이에 상담하는 것을 금기시한다. 그 이유는 흔들림이 없
어야 할 상담사가 상담 도중에 감정이 몰입되어 마음이 움직일
수 있고 상담받는 내담자 입장에선 상담에 집중 못 할 가능성이
많아서 꺼리는 것이다. 상담자와 내담자의 관계 이외의 관계를 맺
는 것은 '이중관계'이며 이런 관계를 지양하는 것이 철칙이다. 이
런 규칙을 아내도 잘 알고 있지만 남편인 내게 상담을 요청한다
는 것은 그만큼 답답해서 일 것이다.

아무래도 어색할까싶어 그림카드를 먼저 꺼냈다. 지금 마음상태와 연관되는 그림을 골라보고 설명해달라고 했다. 이야기는 현재 갈등을 일으키는 엄마와의 문제에서 시작해서 어느 순간 갑자기 20대로 연결되었다. 이야기를 이어가는 동안 눈물을 펑펑 쏟아내고 한참 동안 감정이 분출됐다.

시간이 더 지나고 지금까지 이야기 나눈 것과 그 느낌과 정서를 그림으로 그려보기로 했다. 짙은 핑크빛 나무 세 그루가 그려졌다. 그림이야기가 이어졌다. 그림은 아내의 심층적인 자기이야기를 이끌어냈고 20대에 마음의 상처를 그대로 드러냈다.

마지막으로 우리는 그 그림을 아름답게 꾸미기로 했고 다양한 색으로 화사하게 마무리했다. 짧은 시간동안이었지만 강렬했던 교감의 시간이었다. 그날 하루 종일 서로 아무얘기 하지 않았다. 아내의 생각을 다 알 순 없지만 나는 적어도 아내가 스스로 감정과 생각을 정리하는 시간이 필요하다는 판단으로 가급적 일상적인 가벼운 대화만 주고받고 상담이나 그림과 관련된 어떤 것도 묻지 않았다.

아내는 장모님의 간병으로 월요일에 병원으로 들어가서 수요일 이른 저녁시간 즈음 나온다. 며칠 만에 보는 아내가 차에 타자마자 그림이야기를 한다.

"그 그림 내가 사진으로 보내 달라고 했잖아."
"응, 그래"
"병원에서 계속 보면서 20대 때 생각 또 나더라. 그래서 노트에 잔뜩 적어봤지 뭐야."
"그랬어?"
"응, 20대 때는 몰랐던 것들도 이해하게 되고 잊어버렸던 일들이 막 생각나는 거 있지. 신기해. 그리고 그림이 막 사랑스러워 보이는 거 있지?"
"당신도 느꼈구나."

"그러니까 그림을 보면 볼수록 힘도 나고 참 좋더라. 그림 보면서 이런 느낌은 처음이야. 신기해."

신나서 얘기하는 아내가 사랑스럽다.

　내 마음속을 표현하는 이런 그림은 경험과 기억, 느낌, 감정, 정서가 담긴 귀한 보물 상자 같다. 나의 의식과 무의식이 담겨있고 내가 소중하게 생각하는 것들, 상처들, 그걸 극복하려고 애쓰는 것들 등 많이 것이 포함되어 있다. 그런 그림은 그리는 것만으로도 치유의 효과가 있다. 그림에 대해 생각나는 것을 글로 쓰거나 대화를 나누면서 해석이 된다면 더없이 좋다. 그림과 글과 대화가 어우러지다보면 무의식의 나와 대면할 수 있기 때문이다. 내 안에 있는 초라함, 못난 모습, 나의 단점과 장점, 나의 위대한 모습까지 어떤 것이든 그것을 마주하면서 나를 깊이 이해할 수 있게 되고 그 이해가 결국 나 자신을 한 단계 더 성장시켜 준다.

예술로 성장하기

 지금까지 삶에서 오는 일련의 사건을 겪을 때마다 내 마음 안에
어떤 작용이 있었는지 진솔한 문체로 써 내려왔다. 매번 쓸 때마
다 전달하고자 하는 메시지를 어떤 스토리로? 어떤 방식으로 어
떻게 표현해야 할까? 고민 또 고민을 거듭하게 된다. 그림을 그리
며 글을 쓰는 과정에서 위로와 감동을 느낀 만큼 독자에게도 그
런 감동이 느껴지는 글을 쓰고 싶었다.

 실상 의도한대로 표현이 안 돼서 괴로울 때도 많고 한정된 페이
지 안에 하고 싶은 말을 다 넣을 수가 없어서 아쉬울 때가 많다.
그래도 한참 써 내려가다 보면 어느 순간에 몰입이 되고 코끝이
찡해질 때가 온다. 그 느낌은 저 깊은 곳에 숨겨있던 감정이 순식
간에 마음의 표면 위로 올라오는 것 같다. 코끝을 찡하게 건드리
고 눈물이 나면서 가슴 한구석이 뭉클해지기도 하며 몸 끝에 찌
릿함이 갈비뼈를 감싸 머리 위까지 타고 올라오기도 한다. 그림을

그리고 글을 쓰는 것이 얼마나 아름다운 일인지 더 많은 사람들과 교감하고 진정한 소통을 했으면 한다.

아플 때 좋은 음식으로 몸을 다 독이는 것처럼 글을 쓰면서 느끼는 찡한 감정은 지친 영혼을 달래준다. 불안과 스트레스를 완화하고 마음이 잔잔해진 그 안에서 찬찬히 나를 주의 깊게 살 필 기회를 준다. 그리고 '이렇게 살아가야겠구나.' 하는 생각정리와 함께 용기가 스르르 온다. 이 짜릿함으로 가는 모든 과정이 나에겐 '내면의 소리에 귀 기울이는 방법' 이기도 하다. 예술은 극도의 집중으로 영혼의 메시지, 내면의 소리를 표현하고 함께 살아가는 이웃(실은 자기 자신일 수 있는 수많은 사람들)과 서로 교감하면서 부족한 부분을 채워주며 삶을 위로하고 성장하는 작업이다.

끝없이 반복되는 이 괴로운 상황이 도대체 언제 끝날까? 하루에도 몇 번씩 자신에게 물으면서 또 스스로 다독이면서 글과 그림은 하나둘씩 완성되었다. 꽝꽝 얼어붙은 빙판길, 퇴근길에 맞는

차가운 바람, 낑낑대며 기어코 작품 하나를 완성하고 집으로 돌아오는 지친 걸음이지만 감성은 더 깊어진다. 집에 도착해 들어선 거실은 온종일 난방을 하지 않아 써늘한 실내 온도인데도 이처럼 포근하게 느껴본 적이 없다.

삶에서 오는 어떤 일도
모두 나를 위한 것이기에
그 무엇이든 기꺼이 맞이하겠습니다.
사랑과 아름다움으로 가득한
삶을 위하여

묵산김태형